読んで旅する
よんたび

ニューヨーク、
雨でも傘をさすのは私の自由

仁平 綾

大和書房

第1章「ウェルカム・トゥ・ニューヨーク!」

第2章「街角でドラマ」

第3章「なんだか悪くない」

第6章 ［だれの、どんな色も、美しい］

＊本書は2012年から約9年におよぶ著者のニューヨーク生活について書かれたエッセイです。また、本文中、1ドル＝100円換算で計算しています。

IEMADE SALADS ALL

第1章

「ウェルカム・トゥ・ニューヨーク！」

愉快なスーパーマーケット

「ラベルをよく見たほうがいいよ。買う前にね。消費期限が切れてることがあるんだから。まったく困ったよ。古いのを買っちゃって、翌日、わざわざ取り替えてもらいにきたんだから。私みたいな失敗をしちゃだめよ」

ポテトサラダ、サーモンの酢漬け、きゅうりとディルのサラダ、ヘリング（にしんの塩漬けや酢漬け）に、自家製の冷菜が、同じ丸型透明のカップに収められ、律儀に積み重ねられ売られている。そんなユダヤ系スーパーZabar's《ゼイバーズ》の冷蔵コーナーの前でのこと。

私がひとり、うきうき目移りしていたら、横にいた白髪、小柄なおばあさんがぶつぶつと、ひとりごちていた。と思ったら、いや、ちがった。私に話しかけているのだ。

「Ah, OK....」

とりあえずなにか答えねばと雑に応じたら、おばあさんは手応えが足りなかったのだろう。冷菜の入ったカップをひとつ手に取り、「ここ、ここ」と消費期限の箇所を無言で指差し、私に示してくる。

「えっと……、Use by July 19th. OK, Thank you.」

指し示された字列をなぜか読み上げる私。それから礼を伝えると、おばあさんは満足げに商品をかごに収め、立ち去っていったのだった。

冷蔵コーナーからくるりと向きを変え、振り向いた先には、この店名物のスモークサーモン売り場がある。ガラスのショーケース内には、赤く熟したようなオレンジ色や、脂でぎらぎら輝くピンク色をした大きなサーモンの半身が、ごろん、べたんと、重なりながらいくつも横たえられている。カウンターの向こう側には、白衣を着たおじさんが常時2〜3人。やけに細長いナイフを操り、それらのサーモンを熱心に端から薄切りにしている。

「どうぞ。私はもう頼んだから」

別の日に私はそこで、肌の白い初老の女性ににっこり笑いかけられた。

ありがとう、と言ってショーケースの前へ進んだものの、どれにしようか、もたもた悩んでいると、

「I'd recommend double smoked. That's the best at Zabar's.（ダブルスモークをおすすめするわ。ここの一番だから）」

女性がすかさず、自信にあふれた笑顔で、リコメンドを投げてくる。

「OK..., so, can I have double smoked, half pound?（では、ダブルスモークをハーフパウンドもらえますか？）」

せき立てられるように、おじさんに注文する私。

そうして買って帰ったスモークサーモンは、ほどよく脂をまとった身が舌の上にとろりと着地するたび力強い燻製香が立ちのぼる絶品で、嘘いつわりなくゼイバーズのなかでナンバーワンなのだった。

人懐っこくて、だいぶおせっかい。スーパーマーケットでは、そんな、ザ・ニューヨーカーにたびたび遭遇する（特に、アッパーウエストサイドの地元民が通う老舗のゼイバーズは、その頻度が高い。と私は分析している）。

あれは大根だったか、白菜だったか……。忘れてしまったけれど、スーパーの野菜売り場で私が野菜を手にしていると、

「ねえ、それはどうやって食べるの？」

なんて、だしぬけに横から聞かれたことが、何度かあるし、

別のスーパーでは、大好物のチョコレートがけプレッツェル菓子を前に、にやにやと優柔不断な時間を楽しんでいたら、

「そっちのミルクチョコレートのほうが、断然おいしいよ！」

と聞いてもいないのに、おすすめしてくる、お兄さんもいた。

とにかくまあ、そういう感じで頻繁に話しかけられるものだから、ニューヨーカーと触れ合いたい人は、スーパーマーケットに行くと確実かもしれない。

スーパーマーケットはまた、ニューヨーカーならではの習性を存分に観察できる、ホットスポットでもある。

たとえば、ペットボトルの水や、瓶入りのジュースなどは、売り場の棚から手に取り、未会計のまま飲んじゃう、とか（飲みかけや空きボトルをレジに持っていき、お金を払えばそれで良し）。房付きのバナナは、欲しい本数だけをもいで買う、とか（何パウンドいくらの量り売りのため）。

ぶどうやいちごも同様で、たとえそれらが量り売りではなく、〝ひと袋いくら〟や〝ひとパックいくら〟で売られている場合でも、その〝欲しい分だけ方式〟が横行していることが多々あり（どさくさに紛れて売り場で味見をする輩までいる）、あきらかに量が均一ではない袋やパックが紛れているので、要注意である。

どの光景も、初めて目撃したときは目を疑った。ありえない。ルール違反の不届き者め。と、憤りそうにすらなったけれど、いやいや、勝手やルールがわかっていないのは、むしろこちらのほうだと思い直す。

そうして、ニューヨークに暮らすこと、数ヶ月（早い人は数日）。あたりまえのように、同じことをしている自分に気づくはずだ。冷蔵の棚から取り出した、未会計の冷えた炭酸水をぐびぐび飲みながら、果物売り場で豪快にバナナをもいでいる、自分に。

ちなみにスーパーのレジ係の人は、かなりの確率で野菜の名前を覚えていないので、心して挑む必要がある。

「これ、なんていう野菜？」

「オーガニックのナス？　それとも普通の？」

そんなふうに聞いてくれるだけ、まだマシで、あとからレシートを確認してみたら、シラントロ（パクチー）がイタリアンパセリになっていたり、通常のライムを購入したのに、ちょっと高いオーガニックのライムで会計されていたりすることが、しょっちゅう起こる。

ある日、急きょヘルプで入ったらしいレジの女性から、

「この野菜の名前はなに？」

そう聞かれたので、

「Napa Cabbage（白菜）」

と答えたら、

「Napa Cabbage, Napa Cabbage…」

女性はまるで呪文のように白菜の名を唱えながらレジに向かい、しまいには「探せない」と言い出して、無料で白菜1個をくれた。

ものごとの些事にこだわらず、つねに大局を見よ。という、ニューヨーカーの教えなのだろうか。どうであれ、この街のスーパーマーケットは、あれこれ学びのある愉快な場所である。

エース・ホテルの夜

マンハッタンの29丁目、コリアンタウンとマディソン・スクエア・パークのちょうどつなぎめあたり。南北に走るブロードウェイと交差する一帯は、美容用品や服飾品なんかの問屋が連なり、これといっておもしろみのない、用事がなければ出かけて行かないエリアだった。そんな一角を、ヒップな名所に変貌させたのが、デザインホテルのAce Hotel《エース・ホテル》である。

１９２０年代のホテルを改装した建物の1階には、コーヒースタンド、レストラン、セレクトショップなどが入居。その真ん中にどっかり設けられているのが、ホテルの顔ともいえるロビーだ。

「こんなに広さいる?」というスペースに、高い天井を支えるべく白く太い支柱がいくつも屹立し、柱の隙間を埋めるように、革製のソファや、布張りの肘掛け椅子がおしゃれに配されている。

昼間でも照明は落としぎみ、奥にはバーカウンターがあるから、お酒も嗜《たしな》める。もちろんフリーWｉ-Ｆｉ、長机と椅子も完備。わざわざＰＣを持ち込んで、ここで仕事をするのがステイタスなんて噂されたりもして。

旅行者のためのホテルロビーとも、仕事の打ち合わせで重宝するラウンジとも違う、そこはクールなニューヨーカーの社交場。私がニューヨークに暮らし始めた当時のエース・ホテルは、まさにそういう存在だった。

「とりあえず、エースでお茶する？」

「エースで待ち合わせしよう」

宿泊客でもないのにエース・ホテルに足を運ぶことが、たびたびあった。


その日も、日本から遊びにきていた友人のリクエストで、夕食後に夫と3人、エース・ホテルのロビーでソファに陣取り、ほろ苦いドラフトビールをぐびぐび、あおっていた。

金曜夜は、ことさら大勢のニューヨーカーでにぎわう。ロビーにぐわんぐわん反響する大音量のミュージック、ズンズンした重低音が腹に響く。カクテルを片手に体を揺らす人たちもいて、ここはクラブか、という様相だ。夜が深まるにつれて、人の密度がどんどん高くなってゆく。

私たちの酔いもまわってきたころ、横のソファに、6〜7人の浅黒い肌をした男女のグループがやってきた。

彼らのために少し席を詰めると、

「Are you visiting?（旅行で来てるの？）」

グループのひとり、見るからにマッチョな体を、仕立てのよいライトグレーのスーツで丁寧にラッピングしたような装いの男性が、話しかけてきた。

「イエス、友だちは日本から。私たちはニューヨークに住んでるんだけど」

そう答えると、

「Welcome to New York!（ようこそニューヨークへ！）」

彼は、隣の友人に向かって、にこやかに笑いかけた。ニューヨーカーの、こういう屈託のないふるまいが、私はほんとうに好きだ。

間もなくして、彼らのテーブルに、冷えたシャンパンのボトルと、背の高い細身のグラスがいくつも運ばれた。先ほどの彼から声をかけられる。

「今日は友人のバースデーなんだ。よかったら一緒にお祝いしてよ！」

シャンパンが注がれたグラスが、私たちのほうまで回ってくる。

え、ちょっと、なにこれ。いいの、飲んじゃって？

顔を見合わせる私たちに、さあさあ、という手振りで彼がグラスをすすめる。

「ワオ、サンキュー！　ハッピーバースデー！」

私たちがそう言ってグラスを受け取ると、

「Cheers!!!!!!!（乾杯！）」

その場にいた全員が立ち上がり、グラスを傾け、乾杯をした。ぷちぷち泡がはじける飲み物を、それぞれ、ぐいっと飲み干す。

「Yay!」「Hoo!」「Happy Birthday!」

口々にお祝いの言葉を叫ぶ彼らの誰ひとりとして、「あなたたちは何者？」と問う人も、不快な表情を浮かべる人もいない。私たちは気づいたら、びっくりするぐらいすんなりと、彼らの輪に加わっていた。

お酒を片手に、音楽に負けない大声でしゃべって、笑って。にぎやかな宴が続いた。

私は、目の前に座るムキムキ筋肉の彼が気になっていた。格闘家か、それともスポーツ選手か……。

「仕事はなにをしているの？」

思いきってたずねると、ニューヨークの野球チーム、ヤンキースの仕事をしているという。

「へえー、すごい！　ヤンキースといえば、マツイだね。イチローも知ってる？」

そんなふうに日本人選手の名前を挙げて、「彼はレジェンドだよね」なんて、野球の話でしばし盛り上がったりした。

午後11時をまわったころ、私たちは彼らにお礼を伝え、エース・ホテルをあとにした。表のストリートから、深い藍色の夜空を見上げると、エンパイア・ステート・ビルの尖塔が白くまぶしく輝いている。素晴らしい夜だった。私は、ニューヨークの街に、温かく迎え入れられたような心地になっていた。

ターミネーター来たる

英語ができない。

ニューヨークで最初にぶち当たったのは、紛れもなく、その壁だった。

これでも、小学校高学年から英語塾なるものに通い、中学、高校と英語の成績はまあまあ良く、大学も英文科だった。それなのに、ニューヨーカーがなにをしゃべっているのか、まるでわからないのだ。

ある平日の午後、自宅アパートメントで原稿を書いていたら、部屋のドアがノックされた。恐る恐る出てみると、背の高い屈強な男が立っている。彼は無表情のまま名乗った。

「I'm ターミネーター」

え……？

もちろん私の脳裏には、サングラスをかけた、アーノルド・シュワルツェネッガーの顔が否応なしに浮かぶ。

「Sorry...?（なんですか?）」

何度聞き返しても「ターミネーター」の一点張りだ。

怖い。誰なの。なんの用なの。

「No.」と言って急いでドアを閉めた。

後日、その男性はexterminator《エックスターミネーター》と呼ばれる害虫駆除の人だったと知る。

伝えたいことも、うまく英語に変換できず、落ち込んだ。

「部屋の暖房器具から、勢いよく水蒸気が発せられているのだけれど、これはどうすれば直りますか?」とか、「豚バラ肉を塊でひとつ、できれば脂身の少ないのをお願いします」とか。

いったいどういう単語や言い回しで伝えればいいんだろう?　いちいち考え込む。

Googleで調べて、なんとか単語はわかっても、うまく文章に組み立てられない。よく夢のなかで、逃げたいのに早く走れないみたいなシーンがあるけれど、それに近い感覚だった。しゃべりたいのに、うまくできないのだ。もどかしい。

そんなわけで、英会話教室に通うことにした。マンハッタンのミッドタウン、グランド・セントラル駅近くにある Be Fluent NYC《ビー・フルエント・エヌワイシー》というマンツーマンの教室だった。

個室でネイティブの先生と一対一で向き合い、自分の近況などを英語で好きに話す。先生は生徒のつたない英会話を聞きながらメモを取り、最後にまとめて「あなたの英語、ここが間違っている」とダメ出ししてくれる。それなりに人生を重ねてきた大人は、若干プライドが傷つくタイプのレッスン内容だけれど、その分、効果は絶大だった。

初めてのレッスンの講師は、英会話教室のオーナーでもあるマーシャだった。肩ぐらいまで長さのある、くるんくるんのカーリーヘアに、つぶらなブルーグレーの瞳が愛らしいマーシャは、人懐こい印象の女性だ。こちらの緊張もすぐにほぐれ、あれこれ近況を英語で話した。

友だちと遊んだ、と伝えたくて

「I played with friends.」

と言ったら、マーシャのダメ出しが入った。

「playは、子どもの遊びにだけ使うもの。大人の遊びには、hang outやchill outを使うのよ」

えー！　そんなの聞いてないよ！

私のなかに蓄積されていた英語が、土台のところからあっさり崩れた。そのショックは、いまでも忘れられない。

次のレッスンでも、また次のレッスンでも、私の「えー！　そんなの聞いてないよ！」は繰り返される。

How are you? と聞かれたら、I'm well. / I'm good. / Things are good. などと答える（教科書で習った、I'm fine, and you? は、いったい……）。

日本人は「楽しむ」という意味で、enjoyを用いるけれど、ネイティブは使わない。代わりにhave fun や have a great time を使う。

experienceも日本人が好きな単語。でも人生を変えるような大きな経験にのみ使うから、日常の経験を話す際には用いない。

日本語では名詞を主語にした文が多いけれど、英語では動詞や形容詞を主に使う。たとえば、The taste is good. ではなく、It tastes good.、My feeling is good. ではなく、I feel good. など……。

小中高と学んできた教科書英語は惨敗だった（ちなみに別の講師は、そういう日本人ならではの英語を〝ジャパイングリッシュ〟と呼んでいた）。私の英会話が、ニューヨーク生活において実用的ではないことを、思い知らされたのだった。

英会話教室の帰りは、息抜きのため、ひとりで近くにあるブライアント・パークにたびたび立ち寄った。

セントラル・パークやワシントン・スクエア・パークなど、マンハッタンには観光名所になっている公園がいくつかあるけれど、ブライアント・パークもそのひとつ。オフィスビルが隙間なく密集する街中に、突然ぽっかり緑の芝生地（それもサッカー場ぐらい広大）が口を開けたように出現する。

芝生のまわりには、ぐるりとプラタナスが植えられていて、夏になるとたっぷりの葉を茂らせ、木陰をふんだんにつくる。公共の椅子やテーブルが用意されているから、昼間は絶好のランチスポットだ。

サンドイッチを頬張るビジネスマン、数人でドリンクを片手におしゃべりしている学生たち、黙々と読書をするマダム、芝生でヨガにいそしむカップル、子どもを遊ばせるお母さん。あらゆる人種や年齢、属性の人が、気ままに過ごす姿を眺められるのも、この公園の醍醐味のひとつだった。

英会話教室に3~4ヶ月ほど通ったころだったと思う。

初夏、いつものようにブライアント・パークに寄って、木陰の椅子に腰を下ろし、ぼんやり芝生のほうへ視線を向けていた。ニューヨークの夏は湿気が少なく、からりとしているから、日陰は風がさらさらと心地よい。じっとりした不快な汗が乾いてゆく。頭上を見上げると、嘘みたいに真っ青な空が広がっていた。

すぐ横のテーブルに、同じように放心している、色白の女性がいる。ふと目が合い、にこっとお互い微笑む。

「Beautiful day!（いい天気ですね）」

次の瞬間、私はそう口走っていた。

「Yeah, totally.（ほんとうに）」

女性が明るく同意する。

ほんの一瞬の、たったそれだけのこと。でも、私にとっては大きな転換点だった。

それまで、自信のなさから英語でのコミュニケーションを避けていた私は、日本人の友だちとばかり食事をしたり、出かけたりしていた。せっかくニューヨークに住んでいるのに……。と、後ろめたく感じてはいたけれど、どうにも勇気がでなかったのだ。

でも、英会話教室に通って、ネイティブの表現を学ぶうちに、自信を獲得していたらしい。ある日、するりと自然に口から英語が飛び出た。それが、ブライアント・パークでの出来事だった。

それからというもの、ショップやレストランの人と積極的に会話を交わすようになり、英語での取材やインタビューもこなすようになっていった。相変わらず聞き取りも話すのも苦手ではあったけれど、日本人以外の友人も、少しずつできるようになった。

不意に自宅にやってくる害虫駆除の人にだって、もうひるまない。

「Thank you for asking, but I'm OK.（ありがとう。でも間に合ってます）」

そうやって感じ良く、応じることができるのだ。

ほめられる

ニューヨークで迎えた、最初の秋。

Whole Foods Market《ホールフーズ・マーケット》の野菜売り場で、赤いパプリカに手を伸ばしたとき、事件は起きた。

ホールフーズ・マーケットは、全米にチェーン展開するオーガニックスーパーだ。有機栽培の野菜や果物は安心感があるし、なにより私はその〝売られかた〟に魅せられてしまって、足しげく通っていた。

レモンやオレンジ、りんごは、むき出しのまま、台に山盛り積まれている。甘酸っぱい香りに小鼻全開だ。ケール、きゅうり、ナス、セロリも、やはり包装から解かれ、生身の姿で整然と棚に並べられている。まるで市場のようなライブ感。

商品を並べたての午前中の野菜売り場は、とくに圧巻だった。赤や緑や黄色のツヤピカな野菜たちが、色別、形別に乱れなくディスプレイされているさまは、美しく、セクシーですらある。反して、夕方の野菜売り場は、人の手で荒らされまくり、無惨な姿なのだけれど。

手のひらぐらい大きな赤いパプリカをひとつ、右手でつかんで買い物カゴに入れようとしたときだった。

「#%&? you…！&#%$」

隣で同じくパプリカを吟味していた大柄な女性に、唐突に話しかけられた。

ギョッとして振り向くと、頭に原色のビビッドなプリント柄のスカーフを巻いた褐色の肌の女性が、真顔で私を凝視している。渡米したてで、まだ英語がうまく聞き取れなかった私は、戦慄した。

なに、なに、なに？？？　なんて言った？　もしや私、怒られてる……？

「ソ、ソ……ソーリー？」

心臓をバクバクさせて、聞き返す。

女性が狙っていたパプリカを、私が奪ってしまったのだろうか？　そもそも、野菜を手で触っちゃいけないルールとか？　まさか、そんなわけないよね……？

「Your nails!（あなたの爪！）」

女性はそう言って、私の爪を指さす。ちょうど数日前に、ネイルアートを施してもらった私の短い爪には、モノトーンの幾何学模様が微細に描かれていた。

「Beautiful. I like your nails.（きれいね。好きだわ）」

一方的に話すと、女性はパプリカをひとつ、自分の買い物カゴにポンと投げ入れ、あっけなく去っていったのだった。

ほ、ほめられた……？

ただただ、びっくりした。パプリカの棚の前で、しばらく棒立ちになったほど。ドキドキが、なかなか治まらなかった。

この〝見知らぬ人に突然ほめられる〟というプレイは、その後のニューヨークで、幾度も経験することになった。

あるときはドラッグストアのレジで、

「I like your glasses.（あなたの眼鏡いいね）」

とレジ打ちのお姉さんにいきなりほめられ、

別の日は信号待ちの横断歩道で、

「Nice outfit.（すてきな服）」

と、長身のお兄さんに、さらりと声をかけられた。

もしやなにか裏があるのでは？

はじめのうちは変に勘繰って、引いてしまっていた私だけれど、どうやら単にほめられているだけとわかり、すぐに慣れた。

知らない他人にも気後れせず、いいね、すてきだね、と感想を伝える。ストレートな感情表現ができるニューヨーカーを、うらやましく感じるようになった。

私もそんなふうに、誰かに「いいね」と声をかけてみたい。

そう思ったものの、内気な日本人の私には、なかなかできそうになかった。ほめられたら、Thank you と微笑んで、お礼を伝えるのがせいぜいだった。

ある日、地下鉄の1番線に乗って、マンハッタンのアッパーウェストサイドから、ダウンタウンへ移動していたら、向かいのふたり組女子から、着ていたワンピースを絶賛された。ふかっとした茶色いキルティング地に、青のステッチがストライプ状にほどこされている1枚だった。

ふたりは学生だろうか、スキニージーンズを履いたすらりと長い脚に、それぞれ黒の革ジャンと、ベージュのジャケットをクールに合わせている。

「Where did you get it from?（どこで買ったの？）」

通路を挟んだ向かい側から、地下鉄のキーーン、ガガガガという騒音に負けない大声で、聞いてくる。

「えっと……、A Detacher（ア・デタシエ）」

ブランドの名前をとっさに答えたけれど、どうもうまく伝わらない。

「Sorry? Say that again?（もう一回言ってくれる？）」

「ア・デタシエ！」

「Et dew?（エデュ？）」

「ア、デ、タ、シエ！」

「De-tash?（デタッシュ？）」

みたいなやりとりが何度かあったあと、しびれをきらしたふたりは、洋服のタグを見せてくれと迫る。

そうくるか。

私は覚悟して立ち上がり、通路に歩み出て、左手で自分の後ろ襟をぐいとつかみ、ブランド名がプリントされた服のタグをめくって、印籠のようにふたりに向けた。これでどうだ！

「Do you mind if I take a pic?（写真撮っていい？）」

同じく車内の通路に飛び出た女子ふたりは、私の首もとを覗きこみ、ワンピースのタグをスマートフォンのカメラで捉えようと必死だ。

キーーン、ガガガガ。

揺れる車内で踏ん張り、服のタグをめくる私と、スマートフォンを傾け、必死に目を凝らす女子ふたり。なにやってるんだか。

でも、服のタグを元通りにして席に戻った私は、心がほんのり満たされていた。遠慮のない、図々しいふたりにイラッとしそうになったけれど、ほめられるって、やっぱりうれしい。同じブランドの服がほしいと思ってもらえて、決して悪い気はしないものだ。

それから数年後。

真冬のタイムズ・スクエア駅で地下鉄を待っていたところ、すてきなダウンコートをまとった女性が目の前を通り過ぎた。

上品なネイビーカラー、ダウンなのにテカテカしてなくて、マットな質感。ウエストシェイプが控えめの、ストンとしたシルエットもいい。襟の部分が立ち上がり、かなり幅のあるハイカラーが暖かそう。どこで買ったのか、どうしても聞いてみたくなった。

もじもじしているうちに、早足の女性はずんずん階段を登り、改札口のほうへ遠のいてしまう。

よし。

小走りで追いかけ、勇気を振り絞って、後ろから「Excuse me.」と声をかけた。

「I like your coat. May I ask where you got it?（とってもすてきなコートですね。どこのものですか?）」

振り向いた女性は、すぐに「Oh, Thank you.」と笑顔を向けてくれた。

「& Other Stories ってブランドのもの。でも2年前に買ったから、今はもう売ってないかもしれないわ」

「ご丁寧にありがとう」

お礼を伝えて、女性と別れた。緊張でいっきに心拍数が上がったけれど、なんともいえない高揚感と、うっとりする達成感があった。

ああ、私もついにニューヨーカーになったんだな！

誇らしいような気持ちになって、地下鉄のホームへ続く階段を、意気揚々と駆け降りた。

第2章

「街角でドラマ」

こんなに素晴らしい街、ほかにある？

ニューヨークでいちばん好きな場所は？　と聞かれたら、たぶん、すごく悩むけれど、結局答えは、セントラル・パークになると思う。

なんといっても、あの幅のきかせっぷりがいい。東京よりもだいぶ小さなマンハッタン島で、ひしめきあう建物をまわりにはべらせ、どっしり悠然と構える街のボス。全長4㎞の不可侵のオアシスは、現代ではおそらく叶うことがない贅沢だ。

綿密に設計された園内には、車や馬車が走り抜ける舗装道路から、歩道やトレイルっぽい小道まで複数あり、いくつもの丘とアップダウンが楽しめる。

貯水池にたどり着いたら、そこからアッパーウエストやアッパーイーストの建物群を眺めるのが私のルーティン。池があまりに広大で遠近感が狂うのか、目に映る遠くの街並みが、ミニチュアのにせものみたい。まるで書割を見ているかのよう。知られざる街の秘密を、こっそり自分だけが見つけてしまった気がして、わくわくする。

セントラル・パークの私的ベストシーズンは、初夏。

アメリカブナ、オーク、ニレ、カエデなどの大木に緑の葉がわっさわさと生い茂り、園内は生命力ではちきれそうになる。スピリチュアルな能力など皆無の夫ですら「いい気が流れている！」と力説するほど。とてつもない清々しさなのだ。

緑にどっぷり浸かるべく、あてもなく歩いては、ときどき立ち止まり、尻尾がもふもふに膨らんだリスを追いかけたり、ベンチに座ってひたすら呆けたり。いつもそうやって、ぶらぶらと園内を巡っていた。


6月のその日も、セントラル・パークへ向かっていた。

日曜の午後1時、日差しが肌に痛いほどの快晴。数メートル歩いただけで、半袖の上半身に汗が噴き出る。暑い。早く緑のなかへ逃げ込みたい。アッパーイーストの68丁目駅あたりから、早足で公園を目指していた。

あと3ブロックぐらいのところで、後ろから声をかけられる。振り向くと、全身ジョギングウェア、細身で長身、褐色の肌の中年男性が立っていた。

え、やだ、ナンパ?

一瞬、けげんな顔を演出した私だけれど、それはまったく恥ずかしい思い違いだった。その人は「この道はだめ」「公園に入れない」というようなことをしきりに言っている。

「今日はパレードをしているんだ。公園に入れる道が決まっているんだよ。どこに向かってるの?」

なるほど。イベントが開催されているらしい。どこって、公園なのだけれど。

「Central Park, then going to Zabar's.(セントラル・パーク。それからゼイバーズに行きます)」

あてもなくぶらぶら、という英語がわからなくて、そうとっさに口走ってしまった。

ゼイバーズは公園の向こう側、アッパーウエストの80丁目にある。

「Ok, west side. We're going in the same direction. Follow me.(ああ、西側だね。僕もだよ。一緒に行こう。こっちだ)」

男性は返事を待たずに、ずんずん歩き出してしまった。

脳内に、ガーンという立体文字が、岩っぽい、ごつごつした書体で浮かぶ。

めんどうなことになった……。知らないおじさんと西側まで歩くだなんて。いや、ありがたいよ、親切に教えてくれて。めちゃいい人。でも、向こう側まで20分はあるんだよなあ……。

その瞬間から、のどかな私の公園ぶらり散策は、男性とのスピードウォーキング英会話付きバージョンへと強制的に変更された。

「なんていい天気なんだ。こんな日は、セントラル・パークに来ない理由がないよね」

男性は、そんな話をしながら、私を先導するようにぐいぐい歩く。

なんせ私の倍ぐらいある脚の長さだから、歩幅も当然倍ほどあって、二歩私が歩かないと、彼の一歩には追いつかない。しかも歩くのが早いのだ。私は突然、競歩みたいな歩き方になった。

右左右左、もっと腕を振って、早く！

炎天下の公園で、汗がしたたり落ちる。

ありがたいことに、英会話の心配はなかった。

なぜなら男性がほぼひとりでしゃべっていたからだ。競歩の私は、脚の運びに必死で相槌を打つのが精一杯だった。

アッパーイーストのアパートメントにお母さんと二人で暮らしていること。最近は、年老いたお母さんの介護をしていること。長年ホテルで働いていること。セントラル・パークにはほぼ毎日ウォーキングにくること。朝は、アッパーイーストのどこぞやのコーヒーを飲むのが日課なこと（店名は聞き取れなかった）。

おじさんのトークは尽きない。

「日本？　行ったことないな。ニューヨークからほぼ出たことがないんだ。出る必要がないよ。だって、こんなに素晴らしい街、ほかにある？　I love New York.」

男性のその言葉があまりにも鮮烈で、とっさに見上げた横顔を、いまでもはっきり覚えている。

シワが刻まれているけれど、彫刻のように美しい立体的な骨格。陽光が降り注ぐ褐色の肌に、きらきらと汗の粒が反射している。前方を見据える強いまなざし。ゆるく微笑んだ口もと。

なぜそこまで印象深かったのだろう。

それはきっと、自分が暮らす街をそんなにも愛している人に初めて出会ったからに違いない。

思えば、私は住む場所や街を〝愛している〟と思ったことは、一度もない。祖父母や両親が決めた土地に、意志なくそのまま住んでいたからかもしれないし、自ら街の魅力を探ろうとしなかったからかもしれないし、そもそも住むところを〝愛する〟という感覚がなかったからかもしれない。渡米前に暮らしていた東京だって〝好き〟ではあったけれど、〝愛している〟わけではなかった。

住む場所を愛する。私もそんな感情を味わってみたいと思った。愛している場所に暮らすことができたら、どんなに幸せだろう。

「じゃあ、ここで！　楽しかったよ。Enjoy the rest of your day!（残りの1日を楽しんで！）」

西側の公園出口の手前で、男性が左手をあげて、私にそう言うと、再び大股で歩いて消えていった。

急にひとりになった私は、しばし呆然としてしまった。嵐に巻き込まれたあとみたいな気分。汗だく、息もぜえぜえ、くたくたのへとへとである。でも台風一過のような、晴れやかな心地でもあった。

ふとまわりを見回すと、週末のセントラル・パークは大勢の人で賑わっている。まぶしいぐらいの新緑と、色とりどりの装いの人々。平和な、夢のような午後。

私も、さっきの男性みたいに、ニューヨークの街を愛せるんじゃないか。そんな予感がした。〝好き〟よりも、もうすこし烈《はげ》しい、前のめりな感情で。

サンプルセール

もしや365日、毎日やってるんじゃないの？　と呆れるぐらい、ニューヨークの街ではどこかしらの店や会場で、日々サンプルセールが開催されている。

サンプルセールといっても、文字どおりの見本品に限らず、シーズンを過ぎた在庫から、つい先日まで店頭に並んでいた現行品の売れ残りまでが放出されるので、いわゆる日本のセールと同じ。

しかも招待状などは必要なく、誰でも並べば会場に入れるものばかり。40パーセントとか50パーセントとか、かなりの割引率だったりもして、もはや正規の値段で洋服や靴を買うのがバカバカしくなるぐらい。そんなわけで、この街ではサンプルセール通いが常習になってしまうのである。

私が毎年、欠かさなかったひとつが、マンハッタンのリトル・イタリーにあるセレクトショップNo.6《ナンバーシックス》のものだった。

決まって7月、太陽がじりじり肌を焦がす、熱波の真夏に開催されるサンプルセールで、会場の規模や人出によっては、炎天下で1時間待ちも、あたりまえ（2時間以上待ったこともある。執念とは……）。

会場内は女性たちの熱気でむんむん。大幅値引きされている看板商品のクロッグシューズ（ソールが木製のサンダルやブーツ）は、床のあちこちに無惨に散乱し、ワンピースやスカート、パンツ、コートなどは、ラックにぎゅうぎゅうに掛けられていて、あちらから手が伸び、こちらから手が伸び、もうしっちゃかめっちゃかである。

「Hey, what size is that? 6? 8?（それ、サイズいくつ？　6？　8？）」

ワンピースを握りしめ、会場内を物色していれば、同じ獲物を狙う者からの質問攻めにあい、

「Excuse me? Where did you find those shoes?（その靴、どこで見つけたの？）」

ほくほく顔で戦利品を手にしていると、そのありかを執拗に問われる。

かと思えば、

「Looks nice! You should take it!（すごく似合ってる！　絶対買ったほうがいい！）」

試着して鏡の前に立っていると、四方八方から賞賛の声が浴びせられたりもして（お返しに、こちらも相手をほめる決まり）、敵味方が入り混じるセール会場という戦場では、1秒たりとも気が抜けないのだった。

そんなサンプルセールに初参戦したとき、私を狼狽させたのは女性たちの〝生着替え〟だった。

会場内に試着室はなく（あったのかもしれないけれど、もはやないに等しい状況）、売り場の壁沿いや四隅のコーナーで女性たちがお構いなしに服を脱ぎ、獲得したセール品を片っぱしから試しては、鏡の前に躍り出るのだ。

見渡してみれば、横の人も後ろの人も、あらわな下着姿。会場には男性客と思われる人がちらほらいたけれど、そんなこと気にしない。羞恥心を捨てなければ、セールで勝つことはできないのだ。逞《たくま》しいぜ、ニューヨーカー。

こんなことだったら、もっとマシな下着を身につけてくればよかった。と後悔しつつ、私も生着替えを堂々披露させていただいた。

忘れられないサンプルセールは、dosa《ドーサ》というブランドのものだ。

例のごとく、試着室はあるんだか、ないんだかで、女性たちはそこらあたりで服を脱いでは、セール品を次々に試している。

ワンピースが定価で一着10万円ぐらいするお高いブランドだからか、会場にいる女性たちはやや年齢層が高かった。皮膚がたるんだお腹やお尻を恥じらうことなく、平然と下着姿で会場内を闊歩している。そんな先輩たちの凛々しい姿に、畏敬の念すら抱いた。

「I really like the dress. It looks stunning. I'm wondering about it too.（そのワンピース、いいわよね。すてきよ。私も迷ってるんだけど）」

私が試着をしていると、白髪のマダムが話しかけてきた。裸なのかと一瞬見間違うヌードカラーの下着姿。その先制攻撃に、ぎょっとする。

「Yeah, but it may be a bit too big for me.（でも私には少し大きいかなと思って……）」

そう答えると、別の角度から、違う白髪のマダムがカットインしてきた。

「もうひとサイズ小さいのを試してみたら？　どこかにあったはず。ちょっと待ってて」

白いブラとパンティのマダムが、そう私に声をかけるとラックのほうへ素早く歩いて行った。

「それが最後みたいねー。残念」

しばらくして、ご丁寧にスタスタとこちらへ戻ってくる。

初対面の女性たちが、下着姿という丸腰で、時にはより良質なセール品を手に入れるべく助け合いながら正々堂々と戦う。なんと美しいことよ。私はひとり、感じ入ってしまった。


そんなこんなで戦いを終え、レジで会計を済ませるころには、抜け殻状態。

でも心には充足感とともに、静かな喜びがひたひたと満ちている。それはセール会場で共に戦いに挑んだ女性たちとの、連帯意識からくるものだろう。

セール会場の外に出ると、向こうから、同じような巨大サイズの紙袋を下げた女性が歩いてくる。

セールを勝ち抜いた、同志よ！

私たちはちらりと目を合わせる。それから、「おつかれ」と慰労の気持ちで、軽く微笑みあうのだった。

スシレストランに行く

この街で最初に暮らしたのは、マンハッタンのアッパーイーストだった。

セントラル・パークの東側に広がる一帯で、高級住宅街と呼ばれるエリアだけれど、それは公園にほど近い、限られた地域のこと。我が家は80丁目と、サードアヴェニューが交差するあたりで、アパートメントのつくりも、スーパーやデリといった通りを埋める店舗も、もっと、ぐっと庶民的だった。

ウォークアップ（階段しかない建物のこと）の6階建て、築100年ほど。ニューヨークにはよくあるタイプのアパートメントだった。

道路から数段の階段を登って、エントランスドアを入ったすぐ右側の部屋。玄関を開けると、右手にコンパクトなキッチン（でもガスコンロは4口で、ちゃんとオーブンも付いている）とダイニング&リビング、左手にはダブルベッドがぎりぎり入る寝室、その奥にバストイレという間取り。広さは50平米ぐらいだったと思う。それでたしか家賃は1995ドル（約20万円）だった。

ダイニングにもバストイレにも窓はあったけれど、景色は隣のビルのレンガ壁。そのため昼間でも室内は薄暗く、ついでにリビングの床が斜めに傾いていて、スーツケースがひとりでにコロコロと転がった。

これで家賃20万か……。

ニューヨークの家賃の高さは人から聞いて知っていたけれど、割高すぎやしないか？　ビザ取得のための弁護士費用、引っ越しのあれこれ、アパートメントを借りる際のデポジット（保証金）など、貯金をだいぶ使いこんでいたので、初めのうちは慎ましく、自炊生活を送っていた。

数ヶ月して、生活のリズムがつかめてきたところで、夫とふたり、引越し祝いも兼ねて外食をしよう、となった。ちょうど正統な日本食が恋しくなってきたころでもある。

「近所においしい寿司屋があるらしい」

という夫の情報を頼りに、ニューヨークで初のスシレストラン体験をすることにした。

寿司屋の名前は、Sushi of Gari《スシ・オブ・ガリ》。食べて飲んでひとり２００ドル（約2万円）はする高級寿司店だ。予約時間の20時少し前をめざし、嬉々として向かった。

店構えは、ガラス張りに黒いテント看板という、居酒屋のカジュアルさ。高級店のわりにはスシ・オブ・ガリなんていう、ちょっとふざけた店名だなあと思っていたけれど、銀座や青山の寿司屋とはずいぶん違う。

入り口横で待たされてから、店内へ通される。それほど広くない空間に、カウンター席のほか、テーブル席が相当数用意されていた。しかもテーブル同士の間隔が、やけに狭い。夕食どき、ほぼ満席の店内は、お客さんでぎゅう詰め状態だった。みんな声をはりあげてしゃべるものだから、とてつもない騒々しさ。酸欠になりそう。

これは、いったい……。

肝心の寿司を食べる前に、私が描いていたニューヨークの高級スシレストラン像は、粉々になって消滅した（ほんとうに失礼な話なのだけれど）。カウンターに案内された私は、すっかり無言になってしまった。

メニューは、おまかせを選んだ。

「おすすめの握りを、食べたいだけ食べられるけれど、調子に乗って食べるととんでもない金額になるから気をつけて、って聞いたよ」

夫が不穏な情報を耳打ちする。やめてよ。さらに無言になる。

お通しなどが出されたあと、待望の握り寿司が供された。それは、私史上まれにみる衝撃の食体験だった。

白身の鯛は、上にグリーンサラダが乗っていて、サクッとした歯触りのれんこんチップスがトッピングされていた。オリーブオイルも添えてある。いわばカルパッチョの握り寿司仕立てだ。

カンパチの上には、アクセントに激辛唐辛子のハラペーニョ。ツン、ではなく、ビリリと辛い。

ヒラメの上にはあん肝ソースが乗せられていて（これはなんとなく理解できる）、極めつけ、マグロの赤身の上には、真っ白なふわふわの物体。まさか生クリーム？ と思ったら、クリーミーな豆腐のペーストだった。

な、なんなの、これ。私の知ってる高級寿司じゃない！

まさかの寿司は、まだまだ続く。

ポン酢味の大根おろしと食べる中トロ。焼いたトマトがトッピングされたサーモン。フォアグラ&大根の握り寿司・バルサミコ酢風味。〃トロたく〃という、なんだかチャラいネーミングの寿司は、なめらかなまぐろのたたきに、細かく刻んだコリコリの黄色いたくわんが混ぜてあった。

繰り出される創作寿司に、夫も私も目が点になったり、眉間に皺が寄ったり。でも、食べ終わるころには、すっかり感動に震えていた。どれもこれもが未体験の、新奇な味だったからである。

刺身の味が台無し。トロにポン酢だなんて、もったいない。そもそも、こんなの寿司じゃねえ。と、江戸前寿司の職人さんなら、激昂するかもしれない。

私もそうなりかけたけれど、型破りなおいしさに、怒りはどこかへ追いやられてしまった。ルールにとらわれない、自由な味の組み立て。客をなんとしても喜ばせようという心意気。これこそがニューヨークなのだ。アウトローな握り寿司たちを胃袋で受け止め、悟った。

同時に、なにもかも、いちいち日本と比べていた自分を反省した。比較して、ちょっと見下していたことを恥じた。そんな態度でいても、得るものはない。ここはニューヨークなのだから。

歴史の浅い移民の街。多様性を謳歌する場所。楽しませたものがち、楽しんだものがち。この街では、そうやって生きていかなくちゃ。否定的でいることは、人生の幅を狭めることになる。

なぜか歴代の力士の顔が描かれている湯飲みで、食後の緑茶を飲みながら、ふいに隣に座っているニューヨーカーに目が止まる。

スーツ姿の紳士がふたり。仕事帰りのビジネスマンだろうか。ワインを片手に談笑している。彼らの前には、しばらく置かれたままの握り寿司が二貫。

すみません、それ早く食べないと、どんどん乾燥して、おいしくなくなりますよ。と、注意したくなったけれど、話しかける勇気もないので、お茶とともにごくりと言葉を飲み込んだ。

そんなことは無粋だし、余計なお世話だろう。なんといっても、ここは自由の街、ニューヨークなのだから。

この街も捨てたもんじゃない

犯罪多発。治安が悪い。危険。用心せよ。

そうした喜ばしくないイメージを少なからず抱いて、こわごわ上陸したニューヨーク。夜のセントラル・パークを女性ひとりで歩いてはいけない（木の陰に犯罪者が潜んでいる！）とか。地下鉄では、他人と決して目を合わせてはいけない（金銭を要求される！）とか。ブルックリンは危なすぎて、そもそも住む場所じゃない！　とか。

いろんな噂や忠告を耳にしていたけれど、いつの時代の情報だったのか、いざ暮らしてみれば、そこまで危険に晒される生活ではないことを知った。

とはいえ、凶悪犯罪のまれな、銃の事件なんてめったに起きない平和な日本と比べれば、治安が良いとはやっぱりいえない。

マンハッタンの通りを歩いていたら、突然 iPhone を奪われたという友人もいたし、クイーンズでは知人の女性がレイプ未遂にあったことも。ブルックリンのプロスペクト・パークの東側やブッシュウィックに住んでいたときは、界隈で年に数回、発砲事件が起きていたし、ウィリアムズバーグのアパートメントでは、上の階に強盗が押し入り、住民の様子を見に行った夫が犯人と殴り合いになる、なんていう事件もあった。

そんなニューヨークの街で、私はパスポートや財布を落とすという大失態を犯してしまった。

ウィリアムズバーグに移り住んで間もない初夏、金曜夜。Hotel Delmano《ホテル・デルマノ》というバーで、近所の友人夫妻と一杯飲もうとなったときのこと。

赤茶色のレンガづくりのアパートメント1階に入居するバーは、ぎしぎし軋む木製の床に、褪せたペンキ壁、鉄製の窓枠にすりガラスという、経年を匂わせる佇まい。

店内は仄暗く、古ぼけた肖像画が壁を飾り、古城みたいなシャンデリアがぶらさがっていて、バーカウンターの後ろには、魂が宿ってそうなヴィンテージの巨大な鏡が鎮座している。そんなわけで、この店でひとたび酒を飲むと、いったい、いつの時代の、どこにいるんだっけ？　と、自分の所在がいっきに怪しくなってしまう。

その日も、ハーブで香りづけしたジンをベースに、エルダーフラワーのリキュールとレモンをあわせた好物のカクテルをぐいぐい飲んでいた。すぐに頭がふんわりして、旅先のヨーロッパのラウンジにでもいるような、不思議で、いい気分。

12時を少しまわったころに、酩酊に近い状態で自宅へ戻り、寝室に倒れ込んで眠った。

翌朝ベッドのなかで、うっすら目を開けながら、はたと思い出す。

あれ、パスポート、どうしたっけ……？

昨夜は珍しく、バーの入り口で身分証のチェックがあったのだった。アルコールを提供するバーやライブハウスでは、年齢確認のために身分証の提示を求められることがたびたびある。ニューヨーク州のＩＤカードをまだ取得していなかった私は、パスポートを持参して見せた。

そのあと、ポケットにしまって……

がばっと起き上がり、昨夜履いていたデニムのポケットをまさぐる。

ない。パスポートがない。パ、パスポートが、ない！！！！

一気に血の気が失せた。

命の次に大切なパスポート。アメリカ居住のために必要なビザ（査証）も貼ってある。

弁護士を介して山ほど書類を提出し、大使館で面接まで受けて、やっと手に入れた、あの尊きビザを、パスポートごと紛失したのである。

私は、バーまで走った。顔はすっぴん、ほぼ寝起きのまま。

でも、夜中まで酒宴が続いた朝のバーは、もぬけのから。とぼとぼ自宅へ引き返して、数時間後に出直した。店にいるのは掃除係の人だけ。パスポートをなくしたことを伝えるも、「なにもわからない」と無慈悲な答えだった。

ああ、ここはニューヨーク。パスポートなんて、すぐに盗られて、密売されておわり。私の人生もおしまいだ。渡米早々、パスポートとビザの再発行だなんて。なんてバカなんだ、私は！

半べそ、二日酔いのずたぼろ。それでもあきらめず、また数時間後、バーへ向かった。今度は店員の女性と話すことができた。

「事務所を見てきてあげる。ちょっと待ってて」

数分間、まさに祈りながら待つ私。

「...Nothing in the lost and found last night. Sorry.（……昨夜の落とし物は、なにもなかったわ。

お気の毒だけど)」

がーん。紛失決定。

指先から体が冷たくなっていく。Thank youと弱々しい声で伝え、肩を落として、よぼよぼした足取りで家へ戻った。すぐにマンハッタンにある日本総領事館に電話をしなければ。警察へも届け出ないと……。最悪だ。

でももう一回。念のため、もう一度、バーへ行ってみよう。

あきらめきれない私は、さらに数時間後、懲りずに再びバーへ足を運んだ。オーナーらしき男性が入り口に立っている。パスポートのことを伝えたら、待ってて、と奥へ引っ込んでしまった。

どうせ事務所にはなかった、と宣告されるんだろう。でも神さま、一生のお願い。どうか、どうか私のパスポートを、お返しください。

男性が、長い足で颯爽とこちらへ歩いてくる。その手には見慣れた赤い冊子。もしや、あれは!

「大切なものだから、事務所の引き出しにしまっておいたんだ。はい、どうぞ」

ぎゃーーーー!!!!

驚きと喜びと興奮で、そのときの記憶は定かではないけれど、「Oh my god! Thank you!」とかなんとか叫んで、男性に抱きついたことだけは、しっかり覚えている。ああ、神よ、ホテル・デルマノよ！

さて。このパスポート紛失未遂事件の顚末を、ニューヨークの友人に話すと、みな一様に信じられないという顔をして首を横に振る。ニューヨークで、落としたパスポートが返ってくるなんて、まずありえない。と。そして、こう付け加えるのだ。

「ニューヨークも、捨てたもんじゃないんだね」

捨てたもんじゃない、といえば、私の財布事件もそうだった。

ウィリアムズバーグにある、Bakeri《バケリ》というベーカリー&カフェで、ある夏の午後、友人とお茶をしていた。

チャイラテと、名物のラベンダーショートブレッドで甘く浮かれた時を過ごし、店を出る直前に「まとめて払うよ」と、私が財布を持ってカウンターで支払いを済ませた。そのまま、すぐ後方のトイレへ。壁の棚の上に財布を置いて、用を足し、おまたせ、と友人のところへ戻って、ともに店を出た。

それから数時間後のこと。日系スーパーで夜ごはんの食材を買おうとしたら、信じられない現実に慄いた。

え、うそでしょ、財布がない！

バッグのなかをいくらガサゴソしても、それらしき四角い物体がないのだ。

ああっ！！！！！

私はスーパーを飛び出し、先ほどのバケリまで全力疾走した。その距離、５００メートル。

トイレに置き忘れるなんて！　もうとっくに盗まれて、クレジットカードを使われているかもしれない。どうしよう、どうしよう。どうか無事であってくれ。私の財布！

ぜいぜい、はあはあ、息を切らしてバケリのカウンターへ直行した。

「あの、私、財布、忘れて、さっきバスルームで。白い、このぐらいのポーチで、えっと……、スカル（骸骨）の、いろんな、顔が、プリントされて……」

カウンターの女性が、心なしか、にやにやしながら聞いている。

「What's inside?（中身はなに？）」

そう問われて、しどろもどろ、答えた。

「お金と、カード、いやクレジットカードと、あとは……IDと。あ、私の名前は、Ayaで、IDに書いて……」

言い終わらないうちに、じゃじゃーん、女性が私の白い財布を右手に持って、ぷらぷらさせている。

「これよね？」

そう！　それ！！

「Oh my god!!! Thank you! Thank you so much!!!」

またもや興奮して叫び、うれし涙を流さんばかりの勢いで、お礼を告げた。

店員いわく、私のあとにトイレに入った女性が、忘れ物があったと届けてくれたらしい。もちろん中身は無傷。なにもなくなっていなかった。

運がよかっただけ。かもしれない。でも、たとえ犯罪の多い街であっても、人々の心にまで悪がはびこっているわけではないのだ。

ニューヨーカーには道徳心があって、たいていの人は親切。パスポートはすぐに盗まれて密売される。とか、クレジットカードはとっくに使われてる。なんて疑って、申し訳なかったと思う。

偏見とか早合点とかに振り回されず、肌で感じた現実を信頼すること。私はふたつの事件から、そんな教訓を得たのだった。

321K

「この店は、なにを食べたっておいしいんだ。I promise!（保証するよ！）」

夫とふたりテーブルについて、食事のメニューとにらめっこをしていたら、横の席からエールが飛んできた。

そこは、ウィリアムズバーグにある地中海料理の店、Cafe Mogador《カフェ・モガドール》。メゼと呼ばれる小皿の前菜や、タジン、クスクスといった中東や北アフリカの、スパイスを利かせたエキゾチックな味を提供するレストランで、真夏のその日は遅めの朝食を食べに訪れていた。

目の前のワイス・アヴェニューに面した窓は開け放たれ、軒先の向こうでは、光をぞんぶんに浴びながら、街路樹の葉がわさわさと元気に揺れている。平日の午前中、行き交う車も人も、まばら。私たちが座る窓際の席には、のどかなブルックリンらしい、安穏とした空気が漂っていた。

隣に座る声の主に目を向けると、20代と思われる男女のカップルが食事をしていた。Tシャツにデニムというラフな服装の彼と、ノースリーブの黒いワンピースにシャネルのバッグというシックな彼女。太い眉毛に、彫りの深い切長の目元、くりっとしたダークブラウンの瞳の彼が、にこにこしながら、こちらを見守っていた。

「Thank you!」

彼に笑い返してから、私たちは店員を呼び、卵料理とフムス、パセリのサラダなどを盛り合わせた、ピタパン付きのプレートをふたつオーダーした。

それにしても、ニューヨークのレストランやバーでは、隣り合わせた人から、しょっちゅう話しかけられるよなあ。

私は炭酸水をストローで吸い上げながら回想した。

「あなたが食べている料理はなに?」とたずねられるのは日常茶飯事だし、聞いてもいないのに、おすすめ料理をリコメンドされることも、たびたびある。その場合、たいてい、ひとことふたこと、言葉を交わしたら終わり。

でもその日は、なにかもっと話をしたいような、しなければいけないような予感があった。彼の天真爛漫な笑顔が、そう思わせたのかもしれない。

「Do you come here often?（ここにはよく来るの？）」

私は、料理を咀嚼中の彼にフライングぎみで話しかけた。

「……Yeah. …… 近くに住んでるんだ。といっても、彼女がね。僕はカナダに住んでるんだけど」

へえー。カナダ。カナダの出身なの？

いや出身は別の場所。でも僕も彼女もトロントに住んでいたんだ。

そうなんだ。

君たちは？　このへんに住んでるの？

以前は。いまはブッシュウィックに引っ越したんだけど。

ブッシュウィックか、いいね。

ふたりは、なにをしているの？

僕はミュージシャン。彼女はモデルをしていて、ウィリアムズバーグに住んでいるんだよ。

ワオ、クール！

とまあ、そんな感じで、めずらしくテンポよく会話が進む。

「じゃあ、ほかにウィリアムズバーグでおすすめのレストランがあったりする？」

私がそうたずねると、

「すぐそこにWillam Vale《ウィリアム・ヴェイル》ってホテルがあるでしょ？　地下のイタリアンレストラン、Leuca《レウカ》は絶対に行くべきだね。あの店のラビオリ、最高なんだ！」

出し惜しみなく教えてくれる彼。なんていいやつなんだ。

そして、それぞれ自分の食事に戻り、それからまた少し会話をして。と、そうこうしているうちに、彼らは食事を終えて、テーブルで会計をし始めた。

「じゃあさ、ブルックリンでいま遊びにいくなら、どこ？」

こんどは彼から逆質問。

「そうだなあ。ミュージシャンなら、ブッシュウィックのElsewhere《エルスウエア》がいいかも。大小のライブハウスがあって、屋上はルーフトップバーになってるから。夏に遊ぶなら最高だよ。そうだ、エルスウエアでライブしたらいいじゃん！」

そんなふうに余計なお節介を付け加えても、彼は変わらず、朗らかな笑顔を向けてくれている。

「OK、今度ブルックリンで遊ぼうよ。また来ることがあれば連絡するよ。どうやって連絡したらいいかな?」

会計を済ませて立ち上がった彼から、まさかのお誘い。

えー、初対面なのに。そこまで言葉をかけてもらえて、うれしい。夫と「もちろん!」と答えて、携帯の番号を伝えた。

「インスタグラムはやってる?」

続けて私たちがそう聞くと、彼が躊躇なく答えた。

「Majid Jordan. M, A, J, I, D...」

言われるがまま検索して、インスタグラムのアカウントを画面に表示させた刹那、

……ん?

目が釘づけになる。フォロワー数が、なんと321K(約32万人)。手元のiPhoneを見下ろしながら、私も夫も、そのままだんまり、硬直してしまった。

「じゃあ、また! 楽しかったよ!」

彼と彼女は、呆然とする私たちに声をかけると、爽やかな笑顔で手を振って、店を出て行った。

さて、私と夫は動揺を隠せない。

Majid Jordan《マジッド・ジョーダン》は、ふたり組のR&Bミュージシャンだった。

ちょ、ちょっと待って。もしや、超有名人なんじゃないの!?

いやあ、彼はただものじゃないって、俺、最初から思ってたんだよ。

とかなんとか。テーブルの上の料理もそこそこに、ふたりであたふたする。そうだ、カナダ出身の友人、スティーブにテキストして聞いてみよう。

—Hey Steve, do you know Majid Jordan? I just met one of them in Williamsburg.（スティーブ、マジッド・ジョーダンって知ってる？　いまウィリアムズバーグでそのひとりに会ったんだけど）

—Wow, yeah every Canadian knows of them.（ワオ、カナダで知らない人はいないぐらいだよ）

そんな即レスに、うわぁぁぁ！　悲鳴に近い声をあげる。

おいおい、やばいよ！　名の知れたミュージシャンに、ブルックリンのライブハウスを得意げにすすめちゃったよ！　あー、恥ずかしい。なんだこいつら、って思われたかも？　やだやだ、最低だよ、私たち。

夫とふたりで苦笑いした。


ニューヨークは、マジカルな街だ。まれにこういうハプニングに遭遇する。

だからもしも、レストランの隣の席の人に話しかけられることがあったなら、そしてそれが、ちょっとこのまま逃したくないような、直感にびりっとくる気配だったならば、迷うことなく会話を楽しんだほうがいい。その先には、思わぬドラマが待っているかもしれない。

第3章

「なんだか悪くない」

地下鉄が嫌いで好き

ニューヨークの地下鉄が、大嫌いで、大好き。それが私の屈折した、でも素直な気持ちだ。

時刻表がないから、いつ、電車がやってくるかわからない（ここ数年は、〝あと何分で到着〟という目安が電光掲示板に表示されるようになって、マシになった）。スムーズに走っていると思ったら、突然駅の手前で動かなくなる。しかも、20分、30分はざら。急に行き先が変わる。土日のダイヤが乱れまくる。とにかく予測困難で、腹が立つ。

ホームも車内も、やたら汚い。ホームから見下ろす線路内はゴミだらけ。ねずみがしょっちゅう走り回っている。車内の足元には空き瓶やペットボトルが転がり、そこらじゅうにゴミや食べかすが散乱している。

あるとき乗り込んだ車内の座席の上に、見事な大便がしてあって、つい大声をあげてしまったことがある。友人は犬の糞だと軽く流していたけれど、あれはどう見ても人間のものだった。

車内で突発的に、乗客同士の言い合いが始まったりして、怖い。手にしているスマートフォンを、さっと奪われることがあると聞いて、怖い（幸いにも、私は一度も被害に合わなかったけれど）。

そんなわけで、とくに最初のころは、ガチガチに緊張して、まわりを警戒しながら、地下鉄に乗り込んでいた。

でも、地下鉄は楽しい。

百人百様という言葉がまさにぴったりの、あらゆる個性の生息地。そこは、ニューヨークの街をぎゅぎゅっと濃縮した、カオスな人間劇場だ。

当然ながら、ファッションも髪型も、びっくりするぐらいさまざま。特にブルックリンを縦横に走るLラインやGラインは、古着を天才的に着こなすヒップスター（感度が高く、サブカル的な嗜好の20～30代）から、とんがったおしゃれマダム、ストリートファッションできめてる男子までが乗り降りするから、人間ウォッチングに飽きることがなかった。車内での過ごしかたも、それぞれ。観察し甲斐が、かなりある。

飲み食いする人、座席を占領して眠る人、メイクをする人は、まあ日本にもいるとして……。3人がけ席をカップルシートよろしく、ひざの上に乗って、足や手を絡め合い、ハグして、キスして、公然といちゃついているカップルがいたり。

いんげん豆がぎゅうぎゅうに詰まったビニール袋を足の間に置いて、座りながら無心になって、さやの筋をとっているアジア系のおばあちゃんがいたり。

なかには、堂々とタバコを吸うなど、モラルが完全に崩壊しているパターンもあったけれど。

エンターテインメントにも、たびたび遭遇できる。

低音から高音の4人の歌声がプロ並みにハモっている、アカペラのおじいちゃんたち。車内の握り棒や、仕切り棒を巧みに使って、隆々とした筋肉とブレない体幹を見せつけてくるヒップホップダンサーたち。

バイオリン、ジャンベ（アフリカの打楽器）、トランペットなどの演奏はもちろん、機材を持ち込んでのカラオケもある。ときどき、乗客たちがのけぞるぐらい下手な人もいるけれど、その勇気だけはたたえたい。

持ち込む荷物だって、バラエティに富んでいる。

愛犬、愛猫、愛鳥はあたりまえ。愛亀や愛蛇の目撃談もある。

コントラバスだろうか、人間の2倍サイズはありそうな楽器とともに乗り込む人。

大皿に美しく盛られたケータリングフードを、右手と左手にひと皿ずつ器用に乗せ、地下鉄の容赦ない揺れに耐えながら、必死に水平を保つ人。

車体よりも、ずいぶん背の高い巨大な観葉植物たちと一緒に、無理くり乗車する人（その車両だけジャングルだった）。

そういえば私も、一度だけ、地下鉄で椅子を運んだことがある。

ブルックリンのウィリアムズバーグを散策していたら、ヴィンテージショップでイームズのシェルチェアに出合ったのだ。くすんだイエローの座面、だいぶくたびれているけれど、むしろ味がある。たった70ドル（約7000円）だった。喜び勇んで購入したものの、店員に梱包する素振りは見られず、そのまま手で持ち帰るはめになった。

地下鉄Lラインのベッドフォード・アヴェニュー駅まで、椅子を抱えて、えっちらおっちら、歩いて向かった。

ホームに着いてひと休み。買ったばかりの椅子に座って、電車を待った。ふわっと生ぬるい空気が顔に当たり、地下鉄の車両が近づいてくる。ドアが開いて、乗客が吐き出されたら、椅子を抱えて乗りこみ、車内の空いた場所に椅子を置いて再び腰を下ろし、目的の駅まで過ごした。

じろじろ、視線を向けられることはない。ニューヨーカーは他人を気にしない。街中にクセの強い人が多すぎて、耐性ができているのだろうか。ちらっと目の端で私をとらえる人は、もちろんいるけれど、基本は我関せずだ。

「Nice chair!（いい椅子だね！）」

下車ついでに、そんなふうに声をかけてきた人もいた。

ヴィンテージチェアに腰かけて、疾走する地下鉄に揺られながら、ニューヨークはいいなあ、とひとり胸を熱くしていた。

私は私、あなたはあなた。ニューヨーカーは、そういう考えかただから、他人に干渉しないのだ。思想や考えを強引に押し付けることを嫌う。なぜなら私たちは、みんな違うから。地下鉄に乗って、まわりのニューヨーカーを眺めるたびに、そのことを再確認して、ほっとする。

だから私は、ニューヨークの地下鉄が、大嫌いだけど、大好きだ。

2783
MUSEUM
SEX
ENPOINT AVE.
SIGNS
TIMES

パーティで負け続ける

この街には、パーティのない日が、ない。

そう断言できるぐらい、ニューヨーカーはパーティが好きだ。開店記念、企画展のオープニング、オフィスの移転祝いから、クリスマスやニューイヤーの行事にかこつけた集まり、個人的なホームパーティまで。振り返れば、9年のニューヨーク生活で、あらゆるパーティに呼ばれ顔を出した。

ほぼ知らないカップルの結婚記念日パーティ、ハロウィンのかぼちゃを削るパーティ、引っ越した本人が新居を見せびらかすHouse warming《ハウスウォーミング》パーティ、〝おむつケーキ〟が登場する、出産間近の妊婦を祝うベビーシャワーパーティ……。

どれも忘れがたいものばかりだなあと、しみじみ懐かしむとき、決まってよみがえるのは、苦く、しょっぱい思い出だ。なぜなら私はパーティに負け通しだったからである。

ニューヨークのパーティは、手ごわい。

気心知れた友だち、あるいは同業の仲間が集まって、飲んだり食べたりするだけなのに、なんで？　と思うかもしれないけれど、そうではないのだ。ホストに近しい友人知人、そのまた友人知人や職場の人、さらに兄妹親戚など、種々雑多な人が集まる。「夫と子どもを連れて」「ちょうど遊びにきている両親も」「新しい彼女と一緒に」

そうやって参加者が誰かを連れてくるのが通例で、交友範囲の垣根をとっぱらったオープンなパーティが好まれているのである。

ドラマ『Sex and the City』の続編『And Just Like That...』のエピソードのなかで、主人公のひとりであるシャーロットが、自身のホームパーティに招いた客が自分と同じ肌の色の人ばかりなことに気づき、急きょ肌の黒いカップルを呼ぼうと奔走する姿が描かれているけれど、さもありなん、で笑ってしまった。

人種や宗教にかかわらず、幅のある交友関係をもつこと（イコール、差別主義者ではないと示すふるまい）は、いまのニューヨーカーにとって暗黙の常識。私が参加したパーティにも、あらゆる肌の色のゲストがいたのを思い出す。

そんなパーティで求められるスキルといえば、超社交力と超会話力。素性がたいしてわからない相手と会話を弾ませる（しかも時おりジョークを交えて楽しげに！）という、たいへん高難度の能力が欠かせないのである（ちなみに私と夫の場合は、まずその前に英語力）。

とうてい持ち合わせていない私と夫は、パーティのたび嫌になるほど、自分たちのダメっぷりを痛感した。

とくに渡米早々は、大敗続きだった。

初黒星は、知人のバースデーパーティ。ある金曜夜、夫の知り合いでファッションモデルをしている北欧出身の男性が、ホテルの一室で誕生日会を催すという。会場は、ダウンタウンに建つデザインホテル。なんて都会的なパーティなの。夫とふたり、うきうき出かけて行った。

ドアを開けると、そこはほのかな間接照明だけの空間。中央にはシックな背の低いソファとコーヒーテーブル、壁にはバルーンのカラフルな装飾がほどこされ、テーブルにはワインにビール、ナッツやチーズ、ピザなどの軽食も並んでいる。部屋のそこここに

2〜3人のゲストが輪になって立ち、BGMの音楽と張り合うように、大声で談笑していた。正面のワイドなガラス窓の向こうは、きらきらの摩天楼の夜景。

なにこれ、映画のワンシーンじゃん！

夫婦できゃっきゃと舞い上がった。

主役の知人にお祝いの挨拶を済ませ、そわそわ、きょろきょろしながら室内をうろつく。10分後、気づいたら私たちふたりは、缶ビールを片手に室内にぽつん、と立ちすくんでいた。まわりには、会話に興じる知らない人ばかり。友人知人ゼロ。完全にアウェイである。

それでも、さすがニューヨーク。見かねた数人が、代わる代わる声をかけてくれた。

「Hi! How did you get to know him?（彼とはどういう知り合い？）」

「I like your haircut, cool! Where are you from?（髪型がクールだね。どこから来たの？）」

友好的なニューヨーカーが、神に思える。

彼らをつなぎ止めるべく、つたない英語で必死に答え、そこから数往復の会話は、なんとかなった。が、しかし、世間話をひととおり終えてしまうと、笑顔の沈黙タイムが到来。するとニューヨーカーたちは「飲み物を取ってくる」とか「ホストに挨拶してくるよ」とか言って、離れていってしまうのだった。

どこに住んでるの？　仕事はなに？

日本に行ったことある？（↑日本人がしがちな愚問）

幼稚な質問ばかりの私たちの会話は、ちっともおもしろくなかったに違いない。

すぐにまた、ふたりでぽつん、としてしまった。孤立感を薄めようと、手元の iPhone を操るふりをする。ひっきりなしに聞こえてくる愉快な喋り声と笑い声が、恨めしい。

どうせ英語ダメだし、話の膨らませかたもわからない。悔しい。情けない。パーティなんて、なくなってしまえ。

おめでたい誕生日会で、どんどん腐っていった私たちは、早々に会場を後にした。


次なる負けは、渡米して半年のころに招かれた、イタリア系アメリカ人の自宅での小規模なディナーパーティだった。

私と夫を含めた7～8人で革製のカウチに座りながら、ワインを飲んでいたところ、どういう流れか政治の話になったのだ。

民主党やら共和党やらの英単語が、びゅんびゅん飛び交う。すると突然「日本の政治はどう？　政党は？」と質問を投げかけられ、言葉に詰まってしまった。うっ、自民党って英語でどう言うんだっけ……？　慣れない別次元の英会話に、撃沈である。

パーティに行く時間を間違える、という凡ミスからの負けもあった。

5月末のメモリアルデー。カリブ海の島国にルーツを持つ知人が、スタテンアイランドの実家に招待してくれた。家族で集まり、庭で恒例のバーベキューをするという。いかにもメモリアルデーらしいホームパーティに、夫とふたり、小躍りでフェリーに乗船し向かった。

庭のグリルで次々に焼かれる赤身のステーキや、ジャークチキン（香辛料で下味をつけた鶏肉。ジャマイカの名物）をむさぼり食べ、ビールで流し込む。そんなおいしい想像に、にやける私たちを待っていたのは、パーティは目下準備中、という現実。人も料理もまだこれから。到着した時間が早すぎたのだ。

役目も居場所も見つけられない私たちは、テレビが流れるリビングのソファに座り、ビールをちびちび飲んで、ただ時間が過ぎるのを待った。そのうち家族のメンバーが、三々五々に集まってきた。当然、自己紹介を試みるも、フードなしでは間が持たず会話が続かない。バーベキューに到達する以前に、すっかり気力を削がれた私たちは、またもやパーティに負けた。

そうしていくつものパーティに敗れ、学び、多少はパーティへの免疫を獲得した気がするけれど、基本的なスキル不足のせいか、やっぱりいまだに苦手なままである。

そんな私がひとつだけ、導き出せた答えがある。それは……、

パーティを制するならば、己で催すべし！

呼ばれる側ではなく、呼ぶ側になる。自分がホストになればいいのだ。

家にやってくるゲストのニューヨーカーは、パーティの達人ばかり。

「こちらがシェフのエヴァン、こちらはイラストレーターのピーター」

と友人同士を紹介するだけで、あとは勝手に会話して盛り上がってくれる。人まかせ上等。我らホストはひたすら飲み物を提供し、せっせと料理をテーブルに運び、でも働き詰めだと心配されないよう、たまに会話に加わって、にこにこすればいい。

夜中の12時をまわるころ、宴は無事お開きとなる。

テーブルやキッチンに散乱する大量の皿とグラスに打ちのめされたとしても、心は驚

くほど満ち足りているはずだ。念願のVictory。もしやニューヨークの人たちも、この大勝利を味わいたいがためパーティを催していたりして。だから連日、街のあちこちで、飽くなきパーティ合戦が繰り広げられている、のかもしれない。

距離感がいかれた日

ニューヨークで生活するようになって、というよりは、アメリカに暮らすようになって、狂ってしまった感覚がある。それは、距離感。

アメリカはとにかく広い。

あるとき日本の編集者から、

「西海岸のポートランドへ取材に行ってくれませんか〜?」

とお願いされ、わあ、喜んで。と、ふたつ返事をする前に、移動にかかる時間を調べたら、なんと飛行機で片道6時間半。その遠さに(そして自分の無知にも)あんぐりとした。それじゃあ、東海岸からロンドンやパリへ行くのとたいして変わらないじゃないの。

マンハッタン島やロング・アイランド島を有するニューヨーク州も、実は北西方向にぐいっと広がっていて、想像以上に大きい。

たとえば自然ゆたかな北部にあって、粒ぞろいのレストランやショップが軒を並べる町ハドソン、東部の海沿いにある別荘地のハンプトンやモントークは、いずれもニューヨーカーがさくっと出かける郊外のスポットだけれど、交通手段によっては3〜4時間かかるのだから、それなりに遠い。

ある年の夏に、友人でデザイナーのジェンが、毎年夏休みを過ごす湖畔の別荘に誘ってくれた。心浮き立ったものの、

「ニューヨークから国内線に1時間半乗って、そこから車で2時間半ぐらいかな」

と聞いて、萎えた。

まずブルックリンの自宅から空港へ、そこから飛行機に乗り、さらに車……。別荘にしては、遠すぎやしませんか？

日本人の私の感覚がおかしいのかもしれない。国土の広いアメリカに住む人々は、距離の感覚がきっと違うのだと、自分を納得させた。

そんな私が、やがてアメリカナイズされることになろうとは。

きっかけは、2017年の夏にジェンと決行した、アメリカ横断ロードトリップだった。

「この夏は西海岸に暮らす弟一家を訪ねる予定なんだけど、一緒にロードトリップしない？」

ちょっとおもしろい提案があるの。そうジェンに誘われ、待ち合わせたブルックリンのカフェで告げられたのは、夏休みの冒険計画だった。

すらりと背が高く、小顔にブロンドのショートヘアが似合うジェンは、私よりいくつか年上の一児の母。食いしん坊で、黒や紺やベージュの服装が好み。私と趣味があった。子どものころ、父親の仕事の関係で代々木上原に住んでいたこともあって、共通の話題も多い。長く一緒にいても、ちっとも疲れない。そういう友人だ。

「すごく楽しそうだと思わない？　マイケル（夫）やタナー（娘）に提案したんだけど。飛行機で行くからいい、ってあっさり断られちゃって。二人で車で旅をするの。1週間ぐらい。どう？」

ジェンが期待をこめた瞳で私を見つめる。

まったく予想も計画もしたことがないロードトリップ。遠いなんてもんじゃない距離

の旅だけれど……。一生に一回あるかないかの機会だ。ええい、私は思いきって

「Sounds nice!（いいね！）」

と即答した。

公立学校が夏休みに突入したての6月23日、午後2時、快晴。

私たちはブルックリンにあるジェンの自宅から4WDの車で出発し、最初の目的地であるメリーランド州のボルチモアへと向かった。

「Whoo!」「Yay!」

音楽をかけた車のなかで、初めははしゃいでいたけれど、ロードトリップは思いのほか、過酷だった。アメリカの運転免許証を持っていない私は、助手席専門。毎日ただ座ってるだけ。楽勝。と、高をくくっていたけれど、連日のロングドライブは体にこたえた。

ボルチモアで一泊し、翌日は12時間かけてテネシー州のナッシュビルまで爆走（のっけから無茶すぎる）。へとへとでたどり着いたジェンの友人宅でタコス尽くしのディナーをごちそうになり、そのままナッシュビルに2泊。バーベキュー、美術館、ショッピン

グ、地元のバーやレストランなどをゆっくり満喫できたのが、救いだった。
友人一家に別れを告げたあと、ナッシュビルからメンフィスの街を経由して、テキサス州のダラスへ。この日もやはり12時間ほどのドライブ。さすがのジェンも足が痛いと嘆き（そりゃそうだ）、痛み止めを飲む。

夜遅く、空腹で倒れ込むようにたどり着いた、ダラスの倉庫街にあるバーで、むさぼり頬張ったハンガリー料理のビーフスープ、Gulyas《グヤーシュ》が忘れられない。玉ねぎ、じゃがいも、根セロリ、にんじんなどの具がごろごろ、にんにくとパプリカをきかせた強い味に蘇生された。エアビーアンドビーで借りた部屋に戻って、大いびきをかいて眠る。

翌朝ダラスを発ち、またまた11時間かけて、ニューメキシコ州のアルバカーキへ。もうなんだかこのころは、疲労で口数が減っていた気がする。ラベンダー農園内のミニホテルに数日滞在し、ジョージア・オキーフの家を訪ねたり、サンタフェを観光したりして、再び蘇生。

私は飛行機でニューヨークへ戻り、ジェンはその後、ひとりでカリフォルニアまで車を走らせ（逞しすぎる……）、ロードトリップは終了。映画『テルマ＆ルイーズ』みたいだね、なんて言われた、私たちのひと夏の冒険は、幕を閉じた。

道中、ジェンとはいろいろな話をした。

お互いの夫の愚痴から、仕事の計画と尽きない夢想、ティーンのころの思い出と松田聖子の歌、老いゆく親兄弟のこと、そして自分たちのこと。

「旅をすると、自分の世界が開かれる。そういう気がしない？」

ハンドル操作のほぼいらない、どこまでも一直線なテキサス州の道を走りながら、ジェンが私に問いかけた。窓の外では、ベージュ色の乾燥した風景が、夕焼けの赤とピンクで艶っぽく染められてゆく。

「外に踏み出る、って大事よね。There are so many things to see and discover.（世界には見るべきもの、発見するべきものが、たくさんあるんだから）」

そうジェンが続ける。私は、色を帯びた大地と空に圧倒されながら、そのとおりだよね、と同意した。車内にはSade《シャーデー》の曲が流れている。90年代にやたら耳にした、メロウなサウンドが郷愁を誘う。

「私は何度も引っ越しをしてきたから、あちこちに根っこがある感じなのよね」

ジェンは、代々木上原からアイオワ州に引っ越し、大学を出て英国でデザイン系の学校へ通ったあとは、ロンドンで働いた。ニューヨークへ移り、グラフィックデザインの仕事に従事しながら、結婚。子どもが産まれて数年後、西海岸のポートランドへ家族で引っ越し、またブルックリンへ戻ってきた。

「They are just loose roots.（って言っても、すごくゆるい根っこ）。だからあっちにも、こっちにもあって、常に浮いてる。現実世界から、ほんの少しだけね」

ああ、私もそうありたい。と、直感的にうなずいた。

旅したり、暮らしたりした先で、たくさん食べて、笑って、泣いて、友人をつくり、私なりのゆるい根っこを張りたい。根っこでつながっていれば、いつでもその場所へ、肉体的にも精神的にも、戻ることができる。

走っても走っても、隣の州に辿り着けそうにない。怖くなるぐらい広漠なテキサス州を疾駆するなかで、私の距離感はいかれてしまった。

でも、それでよかったと思っている。

もうハドソンもハンプトンも、ジェンの湖畔の別荘だって、ちっとも遠いなんて感じないし、西海岸のポートランドだろうが、サンフランシスコだろうが、ニューヨークから飛行機で、ビュンとひとっ飛びのご近所。距離に阻まれず、どこへでも行くことができる。いつか火星にだって。機会さえあれば。

踊る結婚式

結婚式では、その街の本性があらわになる。

15年ほど前、夫の仕事のために数年暮らした中国の北京で、それは言わずもがな〝酒〟だった。仕事仲間の結婚式に招かれ、しこたま飲まされたのだ。

中国の人は酒が好き。とくに祝いの席では。気をつけて。と事前に忠告されてはいたものの、まさかあんなに、二十歳そこそこのころの狂ってた飲み会並みに酒をあおるとは。

ビールやワインに続いて、白酒《バイジウ》（穀物から作られる蒸留酒）の注がれたショットグラスが次々に運ばれ、10人ぐらいで円卓を囲み、都度乾杯をして、エンドレスに喉に流し込むのだ。私は4〜5杯で脱落。最後まで付き合っていたら倒れかねない。だから飲むふりだけして床に流す、という逃げの手もあるらしい。先に教えてよ。

ではニューヨークの結婚式はどうなの。というと、私の答えは〝踊る〟である。セレモニーや挨拶よりも、ダンスの時間がメインなのでは？　と疑問を抱くほど、踊るのだ。

ウエディングパーティの開始早々、新郎新婦がキレッキレのダンスを披露し、参列していた友人たちを巻き込んで、インド映画のボリウッドダンスさながらだった踊る結婚式もあれば、セレモニーと立食形式のパーティのあとにダンスタイムとなり、ひょっとして朝まで踊る気なのかもとこちらが戦慄するぐらい、延々と続いたパーティもあった（途中で帰った）。

ニューヨークで初めて招待を受けた、スティーブとアンジェリークの結婚式もまた、踊る時間がたっぷり用意されていた。

初夏、場所はブルックリンの倉庫街にある、築１００年のウェアハウス。元は自動車整備工場だった建物で、そっけない外観とは裏腹に、白くペイントされたレンガの壁、ダークブラウンの木柱や梁という、インダストリアルかつシックな内装。

高い天井には光を取り込む天窓が設けられ、その両側には、丸型のランプがいくつもあしらわれた豊潤なシャンデリアがぶらさがっている。ランプから放たれる電球色の明かりが、ブルックリンらしい、肩の力の抜けたエレガンスを漂わせていた。

当日はあいにくの雨、庭で予定されていたセレモニーが屋内で行われることになった。会場の中央に整列した椅子に着席し、列席者が息を呑んで主役の登場を待つ。天窓から差し込む、雨の日特有のグレイッシュな光のなかを、純白のウェディング衣装に身を包んだふたりが、厳かに歩く。まばゆい、ふたりの姿を視界に捉えただけで、不覚にもぐっときてしまった。

セレモニーが終わり、一旦、会場と扉を隔てた隣にあるバーへ移動する。ワインやカクテルを手に、ゲストたちがしばし談笑したら、再び会場へ戻って、テーブルに着席してのディナー。家族や友人たちのスピーチを経て、いよいよダンスの時間がやってきた。先ほどセレモニー用の椅子が置かれていた会場の中央が、そのままダンスフロアに変身した。神聖から、いっきに俗世へ。ミラーボールもギラギラまわり出す。ダンスミュージックが流れはじめると、新郎新婦はもちろん、家族親戚、友人知人がフロアに繰り出し、リズムに合わせてためらいなく体を揺らすのだった。

これ、日本ではありえないよね……？

人目を気にせず、照れもなく、ライトを浴びながら腰をくねらせ、頭を振りまわす人たちの光景を目の前にして、私も夫もフリーズしてしまった。

親戚のおじさん、あんなふうに踊る？

いや、無理でしょ。同世代の友だちだって、微妙だよ。

たぶん遠巻きに見てるだけじゃない……？

そんなふうに、ふたりで呆然とつぶやき合った。

ちなみに、私も夫もその昔はクラブに通っていたし、踊ることが嫌いなわけではない。でも、目の前のそれは、暗い穴蔵のようなクラブで音楽に没頭し、体を動かすのとはわけが違った。おおっぴらすぎる。さすがに恥ずかしくて、なかなかフロアに躍り出る気になれないのだ。

かといって、このまま着席してただ眺めているのも、すねた子どもみたいで、つまらない。

「もう一杯飲んでからにしよ」

足りないのは勇気だ。と、夫と謎の気合いを入れ、ワインのグラスを傾けた。

そうこうしているうちに、チャイナドレス風のタイトな黒いドレスを身にまとった、アジア系の中年女性が、私たちのところへツカツカと歩み寄り、声をかけてきた。

「Why don't we dance?（さあ、踊りましょうよ）」

うわー、お誘いされてしまった。

「え、は、はい。どうしよ、Yeah, sure.」

女性に導かれるように、夫とふたり、いざフロアへ繰り出す。

なんとなく顔を見合わせつつ、照れながら踊りはじめた。ついまわりが気になって、横や後ろをきょろきょろ、うかがってしまう。ティーンの女の子から、中年の男性、初老の夫婦まで、まさに老若男女が好き勝手なステップで、自由に踊っていた。誰ひとり、私たちのことなんて眼中にないし、気にもしていない。

そりゃそうだよね。

そうとわかったら、とたんに気分が盛り上がってくる。

あっち側にいると、難しそうに感じられることも、いざこっち側にきてしまうと、どうってことなかった。人生ってその連続だ。結婚式のダンスも同じように。

私たちのすぐ横では、新郎スティーブの高齢のお父さんも、ジャスティン・ティンバーレイクの"Can't Stop the Feeling!"に合わせて軽快にステップを踏んでいた。

それは、型もスタイルもない、言ってしまえば無茶苦茶なダンス。でも表情や全身からは、喜びがいっぱいにあふれていた。祝福を、体ぜんぶで表現しているような。そんな姿に、どうしようもなく心を打たれて、またぐっときてしまった。

ふいに先ほどの女性が、フロアで一緒に踊る私たちに「手をつなごう」とうながす。

スティーブのお父さんと、親戚の男女と、私たちと、子どもたちと、手に手をつなぎ、ちょっとずつ輪が膨らんでいく。つないだ手を上げ下げしながら、曲に合わせ前に進み出たり、後ろに下がったり。

なんなの、この変なダンス。フォークダンスみたい。

でも、わけもわからずうれしくて、このうえなく愉快で、どの顔も笑っている。

おめでとう、おめでとう。

汗が滴るほど踊って、私も全身で友人の晴れの日を祝した夜だった。

失われつつあるニューヨーク

「Hi, How are you?（元気？）」
「Hello, How's it going?（調子はどう？）」

この街では、カフェやレストラン、古着屋にレコードショップ、どんな店に足を踏み入れても、ほぼ100パーセント、店員にそう声をかけられる。

別にこっちが元気かどうか、調子がいいかなんて気にしているわけではなくて、そうやってあいさつを交わすルールなのだ。デリやスーパーマーケットでも、レジ係の人が同じように声をかけてくる。

あいさつに慣れていない私は、初めのころ、ものすごくどぎまぎした。言葉につまって、無言を貫いたこともある。でもそのうちに、「Hi!」「Hello!」ぐらいは無意識に口から出るようになり、さらには、

「Good, thank you. How are you?（元気です。ありがとう。あなたは？）」
とまで、難なく返せるようになったのだから、我ながら驚く。

タクシーや配車サービスを利用するときも同じ。車に乗り込むときに、ドライバーに声をかけるのが礼儀だ。

ちょっとした出来事があったのは、配車サービスのウーバーを利用したときだった。スマートフォンのアプリで行き先を入力し、現在地まで車で迎えにきてもらえる配車サービスは、とくに流しのタクシーがそれほど走っていないブルックリンでは、いまや欠かせない存在となっている。目的地を英語で説明する手間が省けるし、悪質なドライバーから法外な料金を請求される心配もなくていい。

よほど急いでいない限り、私はリーズナブルな相乗りのウーバーを利用していた。目的地が同じ方向の人を、道中で拾って、適宜降ろす仕組み。助手席も含めて4人満席のときもあれば、誰も乗って来ず、ひとり貸切状態でラッキー！というときもあった。

その日は夕刻、自宅のあるブルックリンのブッシュウィックから相乗りウーバーに乗車し、友だちとの約束があるグリーンポイントのレストランまで向かっていた。

車は、ウーバーでよく利用されている黒いトヨタのカムリ。ドライバーは東欧系と思われる中年男性だった。私を後部座席へ乗せたあと、7〜8分走ったところで、別の乗客を拾うため路肩に止まった。

クリーニング店や、カフェ、床屋などの商店が並ぶ、下町らしい一帯。薄汚れたウィンドウからぼんやり眺めていると、デニムに半袖ニットの学生とおぼしき女子が勢いよく隣に乗り込んできた。イヤホンで音楽を聴きながら、あいさつもせず、無言で着席し、バタンとドアを閉めた。

「Hello, how are you?（やあ、元気かい?・）」

ドライバーが明るい声で、バックミラー越しに話しかける。彼女は無視。

むっとしたドライバーは、声のトーンをあげて、もう一度、わざとゆっくり声をかけた。

「HELLO? HOW ARE YOU?」

またもや無視。

ちらりとドライバーの横顔をとらえると、顔が怒りで歪んでいる。

5分ほど走り、倉庫街みたいな場所で、今度は男女のカップルを拾った。

さらに10分ほど走ったところで、無言女子が車を降りた。降りるときは「Thank you!」とか「Have a good day!」とかいうのがエチケットだけれど、終始無言。ドライバーは、怒り心頭である。

そこから、ドライバーの恨みつらみトークが始まった。

「最近の若者は、いったいどうなってるんだ？　タクシーに乗り込んだら、ハローとあいさつする。降りる時は、サンキューってお礼を伝える。そんなの子どもだってできるだろう？」

私を含めた3人の乗客は、「そうだよね」「そのとおり」と相槌を打って、ドライバーの怒りの波が引くのを願ったけれど、なかなかおさまりそうにない。

「さっきの見た？　音楽を聴いてたよね。そうか、僕の声が聞こえなかったのかな？　そんなことあるわけないだろう！　絶対に聞こえてたさ。そもそも、聞こえたか聞こえてないかは問題じゃない。あいさつをするのはあたりまえのことなんだよ！」

ドライバーが、ハンドルを握る両手のひらを天に向け、「信じられない」と言いたげに、首を横に振る。怒りが沸点に達し、頭から湯気が吹き出しそうな勢いだ。そんなタイミングで、同乗のカップルが目的地に到着。そそくさと逃げるように車を降りていった。

まずい……。

これは、私が目的地までひとりで残るパターンだ。あと20分、ドライバーの愚痴を引き受けなければならない。あぁー、めんどくさい。ディナーの前に、こんなことで疲れたくないのに。でも無視すれば、私に怒りの矛先が向けられてしまう。ううっ。

ドライバーによる、怒涛のワンマンショーは続いた。

「君に怒ってるわけじゃないんだ。君はちゃんとあいさつしてくれたよね。1日に何人も乗せて、何人も降ろして。大変な仕事なんだよ。わかってほしい」

「ハロー、サンキュー、それだけでいい。なにも特別なことは求めていない。なのに、それすらも言えないなんて、どうかしてるよ。Something has changed here in New York.（ニューヨークも変わったものだね）」

「世界は変わったのさ、人と人のふれあいが減った。大切なものが失われつつあるんだ」

「きっとiPhoneのせいだね。そりゃあ、便利だよ? 俺だって持ってる。でも、車に乗り込む人は、みんなiPhoneに夢中なんだ。顔を上げもしない。寂しい世の中だと思わないかい?」

とかなんとか。

観念してドライバーの言葉に耳を傾け、適当に同調していたけれど、恨みつらみのなかには、そのまま受け流してはいけないような、正しさもあった。

ニューヨークのいいところは、人と人の関わりが、無機質ではないところだ。

あいさつを交わす。フランクに話しかける。見知らぬ者同士が、ちょっとした会話を楽しむ。そういうことが日常的にある。

たとえば、エレベーターのなかで一緒になった人と天気の話をしたり。郵便局の列で前後になった人と、アメリカの郵便事情がいかにひどいか、愚痴を吐き合ったり。タクシー運転手とも、以前はもっと会話をしていた気がする。

正直、ときどき煩わしかったりもするけれど、人種も宗教も価値観もさまざまな人が暮らすこの街では、日々の小さなコミュニケーションは、日常を円滑に送るための処世術なのだ。

ところが、現実には無言女子みたいな人もいる。ドライバーの言うとおり、他人との関わりが、だんだんと希薄になっているのかもしれない。スマートフォンのせいかどうかはさておき、それはニューヨークらしさが失われつつあるサインにも受け取れて、ちょっぴり切なくなった。


「ああ、もう君の目的地だ。いろいろ話せて楽しかったよ。ありがとう」

到着地で車を止めたドライバーが、後ろを振り向き、なんと私に握手を求めて、右手を差し出した。ドライバーの極端な機嫌の変わりように、一瞬ひるんだけれど、すぐに私も右手を差し出し、がっちり握手を交わしてから、

「Thank you! Have a great evening!（ありがとう、よい夜を！）」

と声をかけて、車を降りた。

なんだか悪くない道中だったな。

私は、じんわりする右手をポケットのなかで感じながら、友人が待つレストランへと、足早に向かっていった。

第4章

「ニューヨーカーたるもの」

年齢は聞かないし、聞かれない

ニューヨークに住んでいると、年齢をたずねられることがない。

日本では、たとえばちょっとした知人との集まりや仕事の飲み会で、「いまいくつ?」とか「何歳ですか?」と聞いたり、聞かれたりするのが普通だ。でも、ニューヨーカーは、年齢に触れることがない。

パーティーでたまたま知り合った人も、取材先で仲良くなった担当者も、数回お茶をしただけの新しい友人も、数年の付き合いがある親友ですらも、年齢の話をしない。ちなみに相手が女性に限らず、男性であっても、しない。

だからお互い年齢を知らなくて、フェイスブックのバースデー投稿を目にしたり、誕生日パーティに呼ばれたりして初めて、ああ38歳なのねとか、あら、50歳だったの?と相手の実年齢を知ったりする。

あるとき、日本からのテレビクルーと一緒に、ブルックリンを拠点に活躍する、女性イラストレーターのクラウディアを取材で訪ねた。

クラウディアが夫と息子たちと暮らす住まいは、赤茶色のレンガに覆われた3階建ての住宅。目の前の通りには立派な街路樹がそびえ、さらに向かいにはプレイグラウンドがあって、緑の借景がふんだんに用意されている、うらやましい環境だった。

住まいは2階と3階のツーフロア。アトリエとして利用されている2階は、白一色でペイントされた壁に、使いこまれたフローリングの床。木製のワークデスクや布張りのソファ、イラストの原画を収納する浅い引き出しの連なる棚が配されている。

床には暖色系のヴィンテージラグ、部屋のいたるところに緑の観葉植物、壁には額装されたクラウディアのイラスト。窓からは自然光がさんさんと降り注いでいる。決して広い部屋ではないけれど、光と色でみなぎるそこは、まさにcozy《コージー》（居心地がいい）と形容するにふさわしい空間だった。

グリーンマーケットの野菜、ブラウンストーンと呼ばれるブルックリンの住宅、愛用しているコーヒーの道具やマグカップ。クラウディアは、そうした日常の風景をカラフルな色彩で描く。原画を見せてもらいながら、制作背景や日々の暮らしぶりなど、あれこれ話を聞いた。

ひととおり取材が済んだところで、日本からやってきていた男性ディレクターが、いくつか追加で質問をしたいという。

どうぞ、といって席をゆずったところ、

では、とディレクターが開口一番、ぶしつけに投げかけた質問がだった。

「How old are you?（何歳ですか？）」

うわぁぁ、やらかした！

私も、コーディネーターの日本人女性も、フォトグラファーも、みんなが秒で固まった。もちろんクラウディアも、固まった。

さっきまで、うららかだった室内が、一瞬で凍りつく。その場がシン、と無音になったそのとき、

「What a rude question!（なんて失礼な質問なの！）」

クラウディアが茶化すように、ケラケラと笑った。

「We don't ask someone's age in New York.（ニューヨークでは、相手に年齢を聞かないものよ）」

やんわり諭すように語りかけるクラウディアに、一同救われた。

「ほんとですよ、もう」

「こっちでは年齢を聞くのは失礼なんですから」

私たちも口々に言って笑顔を取り戻し、場はすぐに和やかさを取り戻した。状況がいまいち飲み込めていないディレクターだけは、ははは と照れた作り笑いをしていたけれど。

それにしても、ニューヨークではなぜ、相手に年齢を聞かないのだろう？（ニューヨークに限らず、〝欧米では〟かもしれない）

エイジズム（年齢による差別や偏見）を避けるためもあるだろうけれど、そもそも年齢を聞いたところで、なんにもならないから。というのが理由ではないかと、私はふんでいる。

人種も生い立ちも宗教も異なる多様な人々が暮らすニューヨークでは、日本のように相手の年齢を把握するだけで、共通項や会話のネタが手っ取り早く見つけられるわけではない。

会話を弾ませたいならば、相手を深く知りたいならば、年齢よりもたずねるべきことがたくさんある。住んでいる場所、仕事、好きな音楽、よく食事をする店、バケーションはどこで過ごすか、飼っているペットの話、などなど。

日本では、相手が敬語を使うべき年上かどうかを、いち早く見極めるため、すぐに年齢をたずねるクセがついているのだろう。

年齢は聞かないし、聞かれない。

そういう生活をニューヨークで続けていたら、年齢という数字にまったく興味がなくなった。まわりの人の年齢はどうでもいいし、もはや自分の年齢もどうでもいい。みんなも私も、さあ仲良く、年齢不詳！　という心境だ。

年齢不詳の境地は、なかなかいい。

どんな髪型をしたって構わないし、どんな服を着たって問題ない。年相応なんて気にしない。だって年齢不詳だもん。

仕事の相手が年上だろうが年下だろうが、臆せず飛びこんでいくことができるし、あらゆる世代の人と、分け隔てなく友だちになることもできる。年齢に縛られるストレスがないから、生きることがもっと楽に、愉快になる。

だから私はもう相手に年齢は聞かないし、聞かれない（願わくば）。もしたずねられることがあれば、干支だけ答えようと決めている。

Once you give, you'll be happy.

人の家にずかずかとあがりこんで、飼い猫をなでまわし撮影させてもらったり。キッチンでおふくろの味を再現してもらって、そのままお相伴にあずかったり。

ニューヨークでの私の仕事はずいぶん図々しいものだったけれど、それにもかかわらず、たくさんのニューヨーカーが「どうぞ、我が家へ。喜んで！」と迎え入れてくれた。

たまたま依頼した相手が、オープンな気質の人ばかりだったのかもしれない。でも、私の勝手な見立てを言えば、ニューヨーカーはわりとフラットな思考で、「損得ぬきで、おもしろそうならあり！」とノリもいい。遠いアジアからやってきた、聞いたことのない媒体で働く、素性もわからぬライターを歓迎してくれて、ありがたかった。

そんなニューヨーカーの鑑みたいな人が、友人に紹介してもらったアマドゥだ。

私と友人は、声を発せずにはいられなかった。

気前がいいというか、懐が深いというか……。プライバシーを過度に重んじる現代、しかも共同体のない新興住宅地で育った私には、想像も真似もできない、ふるまいである。

そんなの、どうってことないよ。

アマドゥがにやっと笑って、手を振る素振りをして言う。

「Sharing and giving; that's our tradition.（分かち合い、与える。それが僕らの習わしなんだ）」

真顔で続ける。

「反対に西洋諸国は奪う文化。世界各地に植民地を設けて、奪って、奪って。搾取してきた文化とも言えるよね。人間っていうのは貪欲で、いつになっても満足しないんだ。馬鹿げてるよ。大切なのは、どれだけ与えられるか、お返しができるか。Once you give, you'll be happy.（人間は与えることで、幸せになれるんだ）」

料理がおおかた片付いたころを見計らって、アマドゥがキッチンへ消えた。デザートを用意してくれるという。

バゲットやカンパーニュなどの余ったパンを包丁でひと口大に切り、浅鍋に敷き詰めたら、上から卵液を流して、オーブンで焼く。ブレッドプディングだ。表面がこんがり焼けたところに、チョコレートを削って完成。

あつあつを、4人ではふはふ味わう。もうほんとうに、これ以上は米一粒食べられないぐらいの満腹で、取材の宴はお開きとなった。

すっかりあたりが暗くなったので、最寄りの駅まで、アマドゥとキンガが歩いて送ってくれるという。料理やワインの余韻に浸りつつ、たわいもない話をしながら、ひんやり冷えた夜風のなかを駅に向かう。改札の前で、がしっとハグをして、何度もお礼を伝えてふたりと別れた。地下鉄Aラインの車内に、再び乗り込む。

重たい膨れたおなかで座席に沈むように座り、窓の外をビュンビュン流れるトンネルの暗闇をぼんやり眺めた。アマドゥの言葉が耳の奥によみがえる。それらを反芻しながら、考えるのだった。

私はこれまで、どれだけ与えられてきたのだろう。これから、どれだけ与えることができるだろう。

3年は住まないと

「ニューヨークの街は、歩いているだけで、わくわくする。次の角を曲がったら、なにがあるだろう？　そんな予感と発見であふれているから」

あるミュージシャンがそう話していたのを聞いて、はげしく、うなずいてしまった。犬も歩けば……じゃないけれど、この街にはいつも思いがけない、うれしい出合いがあって、なにかを探り当てた感触が残る。

マンハッタンのミッドタウンで、ビル群のわずかな隙間に、桃源郷のような公園を見つけたり。ウエストヴィレッジでは、選書に偏愛を感じるインディペンデントな書店にめぐりあったり。金曜夜のイーストヴィレッジでは、赤ら顔の大人たちが集う、密度の濃い立ち飲みバーに出くわしたり。

ちなみに、ホールフーズ・マーケットで、ふと横をみたらアル・パチーノがいた、とか。オフブロードウェイのミュージカルを観に行ったら、エアロスミスのボーカル、スティーヴン・タイラーが隣だったとか。夫のヘアサロンの前を、俳優のジョン・マルコヴィッチが何度か通り過ぎたとか。有名人との遭遇体験ができるのも、ニューヨークの街ならでは。

そういえば私も、グリーンポイントのデリカテッセンで、ジャスティン・ビーバーを目撃したことがあって……。という話はさておいて、ニューヨークのなかでも、セレンディピティがざくざく、私の徘徊スポットが、ブルックリンのウィリアムズバーグだった。

マンハッタンの東側を流れるイーストリバーを挟んで対岸にある、ウィリアムズバーグ。１９８０年～90年代は荒廃したエリアで、デリやバーがぽつぽつとあるのみだったけれど、家賃の安い部屋を求めアーティストたちが移り住むようになると、街が発展した。

さらに川沿いの再開発が進んだここ十数年は、レストラン、セレクトショップ、スーパーなどが乱立（そして家賃が高騰し、アーティストたちはブルックリンの別の地へ……）。ものすごい速さで店も人も増え続けている。

アッパーイーストの部屋から、別のアパートメントを経て、ウィリアムズバーグに引っ越したのは、2013年の春。

Berry《ベリー》ストリートと、North 9th《ノース・ナインス》ストリートの角からほど近いアパートメントの2階、コンパクトな2ベッドルームの部屋だった。家賃は2000ドル（約20万円）。立地のわりにはリーズナブルなほうだった。

当時は、大資本のチェーン店がウィリアムズバーグに進出しはじめたぐらい。スモールビジネス、つまり意欲と感性で勝負する個人経営の小さな店が、まだ街のそこらじゅうに潜んでいた。


元々は労働者の街でもあるウィリアムズバーグ、通りには3〜4階建ての小ぶりな住宅が、長屋のようにぴたっと寄り添い建っている。1階部分は路面店になっていることが多く、通りを数ブロック歩くだけで街路樹の右や左に、デリ、カフェ、ベーグル店、ヴィンテージショップ、ヘアサロン、ペットショップなどを発見できる。

たとえば、ある朝の私は、家からワンブロックほどのところにあるベーカリーBakeri《バケリ》

まで歩いて、オレンジブリオッシュや、レモンケーキ、ローズマリーが香るフォカッチャなどのパンを買う。遠回りした帰り道で、ふいにセンスのいい陳列の酒屋や、レトロな床屋に鉢合わせて、にやにやする。

別の日は、少し離れたところにあるヴィンテージショップStella Dallas《ステラ・ダラス》まで散歩がてら向かう。軍ものの毛布とか、緻密に縫い合わされたキルトとか、古い布ものを毛穴全開で物色したら、別のルートで家へ戻る。

角を好き勝手に曲がりながら歩くうちに、テレビで見かけたスライスピザ店を偶然目撃したり、がらくたばかりが並べられているゴミ屋敷のようなスリフトストア（リサイクルショップ）に行く手を阻まれたり。南国のティキバーを彷彿とさせる怪しいレストランに目を凝らしつつ素通りし、ひんぱんに通る道で「あれ、こんなところに、いつの間にかキューバ料理店ができてる!」と思わぬ収穫にうはうはして、ようやくアパートメントにたどり着く。そんな毎日だった。

なかでも、記憶に残る出合いは、レストランDINER《ダイナー》だ。

我が家から歩いて20分ちょっと、ウィリアムズバーグ橋のたもと近くに構える、アメリカ料理店。

昔の食堂車をそのまま利用している店内は、ゆるく弧を描いたアーチ状の低い天井と、床には朽ちたモザイクタイル。場末の酒場みたいなバーカウンターと、列車のボックスシートを思わせる、やや窮屈なテーブル席が並んでいる。

店内にけだるく流れるインディーロック、モードとは逆方向のゆるいファッションの店員たち、紙のテーブルクロスに都度手書きされるその日のメニューなど、店を構成するひとつひとつに、いちいち心がときめいてしまう。そういうレストランだった。

料理も斬新だった。オーガニックの野菜やローカルな魚を、こねくりまわさずシンプルに調理した皿の数々。小規模な農場で人道的に育てられた牛や羊を自分たちでさばいて提供し、ワインもナチュラルなものばかりを取り揃えていた。

いまではありふれた店の形態かもしれないけれど、あのころは、マンハッタンにもそうはない先駆的な存在だったと思う。

ランチ、週末のブランチ、それからディナー。何度も通っては、ブルックリンらしい、カウンターカルチャー的な場に身をおいて、うれしく、誇らしいような心持ちを楽しんでいた。名物のGrassfed Beef Burger（牧草牛のハンバーガー）を注文し、ほんのりミルクの香りがするパテにかぶりついて、自分もすっかりブルックリン住人になった気でいた。

ある日、日本人の友人と、そのボーイフレンドであるニューヨーカーと一緒に、ウィリアムズバーグの街を歩いていたときのこと。

日ごろから一帯をぐるぐる歩きまくっていた私は、「なんなら、私が街を案内してあげるわ」ぐらいの、ちょっと得意げなそぶりだったのだろう。ボーイフレンドは、私を見て
「ねえ知ってる?」

と声をかけ、言ったのだ。

「You have to live in New York for at least three years before you can call yourself a real New Yorker.

(ニューヨークに3年住まないと、ニューヨーカーって名乗れないんだよ)」

まだ1年しか住んでいなかった私は、ぎくりとした。

「なんでまた、いじわるなことを。そんなルール、ないでしょう(笑)」

友人は笑ってフォローしてくれたけれど、私はすっかり、しゅんとしてしまった。

街の先輩に「おい新入り、調子に乗るなよ」と一喝されてしまったのだ。悲しいよう

な、悔しいような。ニューヨーカーはなんて性格が悪いんだ、と憎々しくも思った。

でも、その後のニューヨーク生活のなかで、ありとあらゆる辛苦を経験し、いくつも悟りみたいなものを得て、ああ、私はまだまだニューヨーカーではなかった、と気づくことになる。彼の言葉は正しかったのだ。3年どころか、5年ぐらい経ってやっと、

「自分もやっとニューヨーカーの端くれになれたかな」

と実感できた記憶がある。

浮かれ気分で街を楽しんでいるうちは、まだまだよそもの。この街では、あれやこれやを乗り越えてこそ、真の住民として認められるのだ。きっと。

愛と、グリーンカード

ニューヨークには、そのふたつを貪欲に求める人たちがいる。アメリカ以外の国で生まれ、この街にやってきた、外国人たちだ。

ご存じ、ニューヨークでは（というか、アメリカでは）、合法的に、長期間にわたって暮らすために、ビザやグリーンカード（永住権）が必須となる。

ビザには、学生向けやアーティスト用、現地企業で働く人に出されるものなど数十種類があって、もちろんどれも有効期限付き。更新できるビザならば、さらに2年、さらに5年と滞在できるけれど、いずれは自分の国へ戻ることが前提だ。

私の場合は、美容師の夫がアメリカの美容関連会社の従業員になって、夫婦ともどもビザが発給された。期間は5年。移民専門の弁護士に依頼をして、膨大な資料をアメリカ大使館に提出し（それなりの弁護士費用も支払って……）、英語の面接を受け、数ヶ月かけてやっと、手に入れた。

配偶者の就労が許されているビザのため、日本にいるときと変わらず、ニューヨークで自由に働きながら暮らせて、助かった。

いざ、5年経って迎えたビザの更新は「まあ、問題なくできるでしょう」と弁護士から聞いてはいたけれど、却下される人もけっこういると知って、内心ひやひや。無事更新されたときは、友人と祝杯をあげたほどだ。

というわけで、ビザは申請するための準備が大変。お金もかかる。せっかく取得しても有効期間が短かかったり、更新できなかったり。制約も多い。そんなもやもやを解消してくれるのが、グリーンカードである。だからニューヨークに数年暮らし、生活の基盤が整ってきた外国人は「ああ、グリーンカード欲しいなあ」となるのである。

その場合、移民弁護士にお願いをして、ビザからグリーンカードへのアップグレードを申請したり（もちろん、かなりの弁護士費用を支払う）、グリーンカードが抽選で当たるプログラムに応募したり。

あの手この手でグリーンカードの取得をめざすわけだけれど、独り身の外国人たちにとっては、もうひとつ究極の手がある。それがアメリカ人との結婚である。

「グリーンカードのために、絶対結婚したいんですよねっ」

鼻息荒く、でもあっけらかんと、そう公言するアジア系の20代女子に、渡米早々出会ったときは、たじろいだ。

お、おう。がんばって。

気圧《けお》されて、気の利いた言葉が出ない。

彼女は脈のある出会いを求め、バーに勇ましく出かけては逆ナンし、マッチングアプリを操っては、毎週のようにニューヨーカーとデートを繰り返していた。打算的とはいえ、異国の地でぐいぐい挑んでゆく姿には、「浅はかだ」という嘲笑や、「結婚はそういうもんじゃないでしょ」というきれいごとを跳ねのける、強さと威信すらあった。

「彼とはけっこういい感じだったんですけど、結婚はできないって言われて。だったら意味ないから、会うのやめました」

そんなふうに、ときに冷酷に、グリーンカードのためひたすら突き進んでいた彼女は、ついにアメリカ人と結婚した。初志貫徹、有言実行。動機の不純さは、まあさておき、あっぱれじゃないですか。しかもグリーンカードだけではなく、ちゃんと愛も手に入れて、いまもアメリカで幸せに暮らしている。

「ロシア人の友だちのグリーンカード取得に、協力してるんだ」

そうこっそり教えてくれた、ニューヨーカー女子もいた。つまり偽装結婚である。

いわく、グリーンカードの申請や面接でボロがでないよう、ふたりがどこでどう出会ったのか、口裏をしっかりあわせるのはもちろん、恋愛関係であることの証拠づくりのため、ロサンゼルスやテキサス、カリブ諸島にふたりで旅行しては、いかにもカップルっぽい写真を撮ったりしているのだと言う。

グリーンカードが取得できた暁には、友人から、わずかばかりの報酬をもらうらしい。

「え、でも、将来彼氏ができて、結婚したくなったらどうするの?」

私が聞くと、

「友だちのグリーンカードが取得できたら、数年で離婚する。それから自分の結婚をすれば良いだけ」

とのこと。

なるほど。離婚によって〝バツ〟がつくのが、いまだにマイナスにとられることもある日本とは、やはり文化が違うのだなあ。と、変なところで感心したりもした。

そういえば、あるとき夫と私で、友人ジェンの自宅へ遊びに行った際に、ビザの話になったことがある。

もしかしたら次回の更新が難しいかもしれない、と不安を吐露する私に、

「いざとなったら、私とマイケルが離婚して、夫婦を交換すればいいよね。だったら、ふたりともグリーンカードが取れるでしょ！」

ジェンが軽口をたたいて、みんなで笑った。

悪い冗談だけれど、そのぐらいニューヨークでは、グリーンカード結婚詐欺が公然と行われてきたのだろう。

ニューヨークの恋愛は、けっこう現実的。映画やドラマで知らぬ間に植え付けられた、きらきらとした、夢物語みたいな恋愛からは、だいぶ遠い。

この街ではタフでなければ、愛もグリーンカードも手に入らないのだな。と、既婚者

なうえ、まったく逞しさを持ち合わせていない私は、毎年粛々と、グリーンカードの抽選に応募するのみなのだった。

合理的なギフト

「誕生日プレゼントです、どうぞ」

ニューヨークに移り住んだ初期のころ、現地に暮らす友人から茶色の革製ポーチをもらった。

やっと重たいコートが脱げるようになった4月下旬の週末、友人主催による、私の誕生日パーティを兼ねたピクニックでのことだった。

場所は、〝ブルックリンのセントラル・パーク〟と呼ばれているプロスペクト・パーク。犬を放し飼いにできる芝生の広場あり、ちょっとしたトレッキングが楽しめる渓谷あり、スワンが優雅に泳ぐ湖あり。地下鉄の駅3つ分ぐらいの長さがあるプロスペクト・パークは、住宅街に設けられた緑の余白。いつでも誰でも自然をチャージできる。

この公園のおかげで、ブルックリンの街の魅力が3割り増しになってるんじゃないか、とさえ思える場所だ。

友人たちと、そのまた友人たちがゆるゆると集まり、ジョギングで汗を流す人たちを横目に、花柄のコットンクロスや、薄手のブランケットを芝生に広げ、春爛漫のなか、飲み食いに興じていた。

私が友人から受け取ったプレゼントのポーチは、ちょうど手のひらぐらいのサイズ。半円形をしていて、上部にジッパーが付いている。

なにを入れようかな。リップとか、常備薬とかを入れて持ち歩くのに、ちょうどよさそう。

「わー、ありがとう」

言い終わらないうちに、上機嫌でジッパーをジャッと開けたら、なかに紙切れが入っていた。

「それ、レシートです。もし気に入らなかったら、返品も交換もできるから」

友人はまっすぐな笑顔を私に向ける。

思わず、きょとんとしてしまった。

へ、返品？　こ、交換？　これ、プレゼントだよ？

ニューヨークは（というかアメリカは）返品天国だ。

洋服、靴、バッグ、家具、調理道具、基本的になんでも返品できる（但し、購入時のレシートがあれば。そして、返品可能な期間内であれば）。

だから洋服や靴は、オンラインでサイズ違い、色違いをいくつか買って、自宅で試着し、フィットするものだけキープ。残りは返品するのが、アメリカの常識。

たとえば、ファッションスタイリストが、撮影用に洋服を買いまくり、モデルが着用したものを、撮影後にすべて返品するのは、よく聞く話（もちろんルール違反）。

ウェディングパーティに参列するため、一張羅のドレスを購入し、当日着用したら、そそくさと返品するのも、ニューヨークあるあるだ。よほど汚れていなければ、返品できてしまうのだろう……。

以前、ブルックリンにある北欧家具チェーンのＩＫＥＡで、客が購入したトイレの便座を返品しようと試みている現場に、居合わせたこともある。

「自宅で使ってみたけど、いまいちしっくりこないんだよ！」

がっつり使用済みの便座の返品を、キレ気味で迫る客。さすがにアウトだろうよ。世の中には強者がいるものだ。

そんなわけで、たとえそれがプレゼントでも、ニューヨークでは返品交換がためらわず行われている。

「だってほら、もし気に入らない形や色だったら、嫌でしょう。気にせずやっちゃってね」

と、友人は、またにこやかに言う。

アメリカってすごい。私は、うなった。合理的とは、このことか。

そういえば、ニューヨークの結婚祝いにも驚いた。

〝私たち、結婚します。ギフトのRegistry《レジストリ》はこちらです〟

そんなメールが友人たちから届く。〝こちら〟の部分をクリックした先には、彼女&彼の欲しいモノが、写真付きでずらっと並んでいるのだ。もちろん金額とともに。

バスタオルセット30ドル、シーツとベッドカバー１００ドル、サムソナイトのスーツケース180ドル、ル・クルーゼの鍋230ドル、イタリア製のエスプレッソマシーン520ドル……。

彼女&彼のためだけのオンラインショッピングサイトで、ギフトを選び、クレジットカードナンバーを入力。メッセージ欄にCongratulations!とかなんとか入力したら、あとはギフトが新婚カップルのもとに届く仕組みだ。20〜30ドルぐらいのものから、500ドル超えの高額なものまで、どの友人のレジストリも、ちゃんと金額に幅をもたせてあるところが、憎い。

しかも高額ギフトは、グループギフトという設定になっていたりして、何人かでお金を出し合って買えるようにもなっている。なんたる抜かりなさ。

たまにハネムーン・ファンドなんていう項目もあって、

〃ハネムーンで日本に旅行する計画です。みなさんのヘルプがあればうれしいです!〃

というメッセージが添えられていたりする。旅行費用をプレゼントできるようになっているのだ。

日本のウエディングにもご祝儀があるけれど、もっと、いや、だいぶ直接的。ギフトを買ってくれるなら、これが欲しい。ハネムーンに行くから、お金欲しい。堂々と宣言しちゃうんだな。面食らってしまった。

でも正直なところ、なかなかいいシステムだな、とも感じた。

プレゼントは、気持ちだ。だからなにをもらっても、うれしい。それは事実なのだけれど、やっぱりどうしても、うれしくないものもある。好みにまったく合っていないもの、すでに持っているもの、などがそう。

せっかくの気持ちを捨てるわけにもいかず（ましてやウェディングギフトなら、なおさら）、箱に入れ、クローゼットの奥深くにしまうはめになる。もったいない。相手にも、物にも、申し訳ない。

でも、アメリカ式ギフトレジストリなら、そうした悲劇とは無縁だ。

はじめはちょっと抵抗があった私も、いくつかレジストリで贈りものをするうちに、すっかり慣れた。こっちのほうが気兼ねなく、後腐れなく、お互いハッピーでいいじゃん。と思うようになった。

ちなみに、ギフトレジストリは、ベビーシャワー（出産前祝い）にも積極的に使われている。私はリストを送られたことはないけれど、引越し祝いや、誕生日プレゼントのレジストリもあるらしい。

レジストリ賛成派とはいえ、もしこのまま、どんどんギフトの合理化が進んだら……と、未来を勝手に憂いて、胸がざわざわする。

母の日レジストリ、バレンタインデーレジストリ、就職祝いレジストリ、結婚記念日レジストリ、還暦祝いレジストリ……。

そうなると、もはやギフトの意味がすっかり変わってしまいそうだ。そこに心は、存在するのだろうか?

広めたい習慣

「Are you ready to order?（注文はお決まりですか？）」

白い襟付きシャツの上に、茶色いエプロンを身につけた、小柄な女性がやわらかな口調でそうたずねる。

その日は、ウエストヴィレッジにあるVia Carota《ヴィア・カロータ》という名のイタリアンレストランでひとり、遅めの昼食をとろうとしていた。

案内されたのは、店内の中ほどにある大理石の丸テーブル。腰掛けているのは古いチャーチチェア（教会で使われていた木製椅子）で、背面に聖書をおさめるポケットがあり、そこに紙製のメニューがくるりと丸めて入れられている。

大判のメニューは、上からAntipasti（前菜）、Verdure（野菜料理）、Pesce（魚料理）、Carne（肉料理）と続く。中段には、猪肉のラグーのパッパルデッレ、生ハムとパルミジャーノのタリアテッレなどのパスタ料理が5つほど並んでいた。

ヴィア・カロータは、アメリカ人に忖度しないイタリア料理をふるまうことで、支持を得ている店だ。

リトルイタリーではおなじみの、トマトソースとミートボールのパスタもなければ、トマト缶のチープな風味がするマルガリータピザもない。オーセンティックな味を求め、近所に暮らすアートやファッションの業界人から、フーディーな観光客までが昼夜足を運び、ほぼ満席。店内はいつも賑々しい。

「Do you have any recommendations? Not big plates to share. Something small and light would be better.（ひとりなので、数人でシェアするものではなく、量が少なく軽いものがいいのだけれど。おすすめありますか？）」

テーブル担当の女性に、私は返した。

「Let me see...（うーん……）」

女性は数秒考えてから、charred leeks（炭焼きにした西洋ねぎ）を推してきた。

黒焦げになるまで皮ごと焼き、とろりと甘みを増したネギに、塩けの強い山羊のチーズを添えたもので、温かい前菜だという。うわ、おいしそう。

「または、raw artichokes（生のアーティチョーク）も。濃厚な味わいだけれど、とってもフレッシュ。冷製なので軽めですよ」

おお、それまた捨てがたい。では、そのふたつと、パスタのタリアテッレを。注文しおわると、

「Excellent!（すばらしい！）」

女性は私にそう微笑みかけてから、テーブルを離れていった。

ニューヨークのレストランでは、そんなふうにただ注文をするだけで、めちゃくちゃほめてもらえる。その日なんて、ほぼ彼女のおすすめをオーダーしただけなのに。

「Nice choices!」

「Beautiful!」

「Perfect!」

そうやってほめそやされると、単純な私は真に受けて、食事をする前からすっかりいい気分になってしまう。

でも誰だって、ほめられたら、まんざらでもないはず。日本でも、いや、なんなら世

界で、この習慣が普及したらいいのに、とひそかに願っている。

もうひとつ、世界に広めたいニューヨークの習慣がある。

それは人と対面したときの、つかみの挨拶。ポジティブな第一声である。

「Morning! Nice weather!（おはよう。いい天気だね）」

「How're you doing? Did you get a haircut? Cool!（元気？　髪切ったの？　いいね！）」

「Long time no see. I like your outfit!（ひさしぶり。今日の洋服いいね）」

どれも明朗で、さっぱりとしていて、こちらの気分を上げてくれるものばかり。ニューヨーカーは、相手を落とすようなことは、まず口にしない。なんと気分爽快なんだろう。

実は私には、人と会ったときの第一声に苦い思い出があった。

日本の友人や知人に「痩せた？」と言われて、内心、複雑な気持ちを抱くことがあったのだ。

いや私、ダイエットしてないし。ていうか、むしろ体重は増えたんですけど。それなのに、相手の目には私が痩せたように映っている。ということは、頬がげっそりこけた、ってこと？　つまり、老けたってこと？

勝手に深読みをして、ショックを受けてしまうのだった。

でも、ニューヨーカーの口から、「痩せた？」とか「若く見えるね」という容姿に関する主観的な言葉は聞いたことがない。

価値観は、人の数だけ存在する。痩せているのが素敵だと考える人もいれば、豊満な体が魅力的で好きだと感じる人もいる。若く見られたいと願う人もいれば、童顔が悩みの人もいる。好みやコンプレックスは、人それぞれ。体型が、病気や薬の副作用の可能性だってこともある。

だから、その良し悪しを暗示する一方的な言葉は危険だ。ルッキズム（外見至上主義）ととられることだってある。ニューヨーカーは、きっとそれをわかっているのだろう。

そもそも大前提として、ありのままで人はみな、すばらしい。


「元気？　なんか今日、疲れてない？」

このフレーズも、日本で何度か投げかけられたことがある。

いや、こちとらまったく疲れていないのだが。元気いっぱいなんですけど？

私の心の声は、どんどんエスカレートする。

ふだんからニコニコしている顔ではないから、疲れて見えるのかな。それとも口角が下がってるから？　もしかして目の下のクマが目立つの？　ねえ、なんで？　どうして？

疲れて見える理由を詮索して、どつぼにはまってしまう。

この言葉の裏には、

「（仕事忙しいんでしょう？）疲れてない？　大丈夫？」

そんな日本人ならではの思いやりや、優しさが存在していることは、わかっている。

気遣われて、うれしい人もいると思うし、「まさに私、疲れてました！」というタイミングで声をかけてもらって、喜ばしいケースだってあるのかもしれない。でも私のように、うれしくない人もいるんだよなあ。

そう考えると、ニューヨーカーの挨拶は、相手を傷つけず、変な誤解も生まず、たいへん優秀。もちろん本心からではなく、お世辞で言っているときも多々あるだろうけれど。それで人間関係がまるくおさまるのだったら、まあいいじゃない。

ユダヤ教徒の大家さん

マッツォボールスープ、という食べものを生まれて初めて口にしたのは、ニューヨークだった。

それがどういうスープなのか、予備知識ゼロのまま、ブルックリンのレストランで注文したら、運ばれてきたのは、黄金色をした澄んだチキンスープ。

角切りの玉ねぎ、ニンジン、ディルといった具材のまんなかに、クリーム色をしたまあるい野球ボール大の、真薯《しんじょ》みたいな、見るからにふかふかな団子がぽっこり浮いていた。

へえ、これがマッツォボールねえ。

さっそく団子をスプーンですくって口に入れると、食感は、はんぺん。風味はほとんどない。

「Is this made with fish, or something like that?（これ、魚かなにかでできてます？）」

そばにいた給仕の男性にたずねたら、いやいや違うよ、と笑われてしまった。

「Matzo《マッツォ》っていうユダヤのパンの粉、まあ小麦粉だね」

ほお……。

世界にはまだまだ知らない食があるんだなあ。そんなことをじんわり噛みしめながら、スープを飲み干した。


へえ、そうなんだ。初めて知った。

ニューヨークでは山ほどそういう経験をしたけれど、マッツォボールスープのように、ユダヤの文化に関することが、けっこうあった。

東欧からユダヤ人が移民として数多く渡ったニューヨーク市は、全米でもっともユダヤ系アメリカ人の人口が多いという。だから、いろんなシーンで〝Jewish《ジューイッシュ》（ユダヤ人の、ユダヤ特有の）〟に遭遇するのだ。

たとえば、渡米したてのころ、スーパーマーケットの肉売り場の棚で目にしたKosher《コーシャ》の文字が気になった。

同じようにパック詰めされている鶏肉がずらっと並ぶなかで、Kosher と書かれているものと、書かれていないものがある。ブランド名かなにかかな、と思ったけれど、ニューヨーク歴の長い友人に聞いたら、まるで違った。

コーシャとは、ユダヤ教によって食べても良いとされている食品のことで、設備や調理器具、食肉であればその処理方法まで細かなルールがあり、それらをすべてクリアした証だという。

ユダヤ教徒ではなくても、安全性が高いからと、あえてコーシャフードを買い求めるニューヨーカーもいるらしい。そういえば「料理に使う塩は、コーシャソルトに限る」と力説していたブルックリンの友人もいたなあ。

ちなみに恥ずかしながら、ニューヨーク名物のベーグルも、パストラミサンドイッチ(香辛料などでマリネしたあと燻製にした牛肉をスライスし、ライ麦パンで挟んだもの)も、ユダヤ移民がもたらした食べものだと知ったのは、ニューヨークに引っ越してからである。

ベーグルといえば、RUSS & DAUGHTERS《ラス&ドーターズ》、パストラミサンドといえば、Katz's Delikatessen《カッツ・デリカテッセン》が二大老舗で、どちらもかつてユダヤ系移民が暮らした、マンハッタンのロウアーイーストサイドに店を構えている。

ユダヤ教では、肉と乳製品を同時に調理したり、食べたりすることが禁じられているため、パストラミやコーンドビーフといった肉を販売するカッツのようなユダヤ系デリカテッセンと、乳製品や魚が専門のラス&ドーターズのようなアペタイジングストアの2種類が存在する、なんて豆知識もニューヨークで得たものだ。

ユダヤ教徒はクリスマスを祝わない。というあたりまえすぎる事実も、ニューヨークで知った。

渡米して迎えた最初の冬。12月のホリデーシーズンになると、ショップやレストランの店頭からハロウィンのかぼちゃが姿を消し、代わりに電飾のディスプレイが登場して、いっきに賑々しくなる。路上では、フレッシュなもみの木なんかも販売されて、わー、クリスマス一色だ！　とはしゃぐ私に、街の先輩がひとこと、

「ニューヨークでは、軽々しく『メリークリスマス！』って声をかけちゃだめだよ」

と釘を刺す。

なぜなら、ご存じクリスマスはキリスト教の聖誕祭。ユダヤ人には、同時期にハヌカというユダヤ教の祭典があるからだ。さまざまな宗教の人が暮らすこの街では、「Happy

Holidays!」と言うのが一般的だと学んだ。

敬虔なユダヤ教徒の存在を知ったのだって、ニューヨークだった。

地下鉄内や街角で見かける、頭からつま先まで黒づくめの装いの男女。男性は黒いジャケットに黒いパンツ、頭には黒いハット。もみあげの毛だけがくるくるっとカールしていて、顔には立派なひげをたくわえている。

女性は、喪服に近い黒いワンピースに、ローヒールの黒靴という出立ち（どこか人工的で不自然な髪型は、髪の毛を剃ったり、隠したりして、ウィッグを身につけているからだそうだ）。

彼らこそ、ハシディックや超正統派と呼ばれるユダヤ教徒であると、渡米早々、英会話の先生から教示を受けた。

ハシディックは、厳しい戒律のもと、閉鎖的なコミュニティで暮らしている。そのひとつがブルックリンのウィリアムズバーグ、老舗ステーキハウス Peter Luger《ピーター・ルーガー》 の南側にあたる一帯だ。たまにバスや車で通り過ぎると別世界だった。店の看板には見慣れぬ文字ばかり、路上には黒い装いの彼らだけが存在している。

そんな彼らを見かけはしても、触れ合う機会はほとんどない。と思っていたら、引っ越し先のブッシュウィックの部屋の大家さんが、偶然にもハシディックだった。

ユダヤ教徒以外とはコミュニケーションを取ろうとしない。とか。気難しく、お金にうるさい。とか。ハシディックの人たちのことを、そう聞いていたから、部屋の内見や契約のときは緊張で、びくびくしていたけれど、彼らも同じニューヨーカー。話は普通に通じるし、想像以上に気さくで、まったくの偏見だった。たしかにお金には厳格な面もあったけれど、生真面目な日本人に近い印象。親しみがもてた。

いざ書類を揃え、小切手を用意して、やっと部屋の契約を結べた日。夫が「Thank you!」と右手を差し出し、大家さんと握手をした。

では、私も。と同じように右手を差し出したら、大家さんが両手を横に振って拒絶している。

「I'm not supposed to shake hands with women.（私は女性と握手ができないんです）」

そう言われて、どきりとした。知らなかった。無知で申し訳なく、ごめんなさい、と平謝り。ハシディックの人たちは、家族以外の異性に触れることを禁じられていると、あとからアパートメントの隣人に教えてもらった。

人生40年とちょっと生きてきて、世の中をある程度知ったような気になっていたけれど、自分の見聞や知識なんて、ほんのわずかなもの。この世界は未知のことであふれている。そうあらためて気づけたのは、ニューヨーク生活で得られた最大の収穫だったなあと思う。

そうそう、金曜午後からはユダヤの休日になり、ハシディックの人たちは戒律によって、仕事をすることも、電化製品を触ることもしない。そのため、週末に部屋の温水が出なくなったり、備え付けの暖房が壊れたりして、大家さんに電話をしても、応答が一切なく、月曜にならないと修理の人が来ないケースが何回かあった。

えー、うそでしょ。ありえない。耐えられない。泣きたい。と嘆いて、怒っても、この街は多様な人で成り立っているのだから、仕方ないよね。そんな寛容の境地に至るようになれたのも、ニューヨークのおかげである。

第5章

「いつだって新しいことを」

シンク・アウトサイド・ザ・ボックス

Think outside the box.

これは、私がニューヨークの友人から教えてもらって、おお、うまいこと言う！　とすかさずメモしたイディオム（慣用句）のひとつ。

直訳すると、箱の外を考える。だけれど、実際の意味は、既存の枠にとらわれずに考えよう、とか、自分なりの斬新な考えを求めよう、といったところ。

行き詰まった思考から脱して、ぴゅーんと外へ意識が飛んでゆく感じが、とっても快い。いつだって面白いこと、新しいことを生み出してやろうと企んでいるニューヨーカーにぴったりな表現だな、とも思う。

友人は、ブルックリン在住のフォトグラファー、ヒューゴだ。Princess Cheeto《プリンセス・チート》と題した自身の飼い猫のインスタグラムで、18万人超えのフォロワーを有する、インスタグラマーでもある。

猫のインスタグラムは世界にごまんとあるけれど、彼が自ら小道具を手づくりして撮影し、合成してから仕上げる飼い猫の投稿写真は、「かわいい」「癒される」という域を超えた、オンリーワンのアート作品。

ピンク、オレンジ、グリーンといった単色の背景に、いちごやスイカ、金髪ウィッグ、中華どんぶり、パンの耳などを頭にかぶったハチワレ猫のチートが、なんともいえない女優な顔でこちらを見つめる〝ヅラシリーズ〟（私が勝手に命名）は、世界中のファンから「いいね」を集めまくり、広告に起用されたりもしている。

「どうやったら、ヒューゴみたいになれるの？」

取材で対面したときにたずねたら、冒頭のイディオムを授けてくれたのである。

クリエイトする。って、なかなかしんどい。

よほどの天才は別だろうけれど、生みの苦しみや限界がかならずある。アイデアは都合よく、じゃんじゃん湧いてこない。だから世の中は、誰かの真似や、焼き直しであふれていたりする。

それなのに、よくもまあ次々にあれこれと、革新的な食べものだったり、類を見ないアートだったり、ヘンテコなイベントだったり、新形態の店だったりが生まれるものだなあ。と、ニューヨークには何度も驚かされた。

なかでも、胃袋と右脳を射抜かれたのが、3つ星レストランのEleven Madison Park《イレヴン・マディソン・パーク》だった。

マンハッタンのミッドタウン、マディソン・スクエア・パークの東側に構えるこの店は、1950年に完成したアール・デコ様式の歴史的なビルの1階にあって、ダイニングルームは呆れるほど天井が高い。アールデコの意匠がちりばめられたフロアを導かれるままに進み、いざ、白いテーブルクロスがぱりっとかけられた席につけば、テイスティングメニュー（コース料理）という名の、めくるめくショーが幕を開けるのである。

あるときは、着席した段階で、もうサプライズ。テーブル上に、誰かの忘れ物みたいな小ぶりの白い紙箱が置かれていて、紐を解いて中をのぞけば、特製のブラック&ホワイトクッキー（黒と白のアイシングがほどこされたユダヤのクッキー。ニューヨーク名物）が、ふたつ。

わあっと歓喜。

前菜をいくつか終えたところで、スタッフがやおらテーブルの端に手動式のミンサー（肉挽き器）を設置。にんじんをがりがりとミンチにし、ひとりひとりの皿にサーブするという、アバンギャルドな一品が供されたこともあった。いつどこでどうやって、こんな料理がひらめくんだろう。

大きな片手鍋を抱えた給仕が近づいてきたと思ったら、テーブルの上に紙を敷き、鍋から蒸したロブスターやはまぐり、えびなどをざざっと豪快に広げ、「さあ、どうぞ手で召し上がってください」と笑顔。えー、星付きレストランなのに!? 漁師の浜料理的な素朴さと、意外な雑さにはしゃいだメイン料理もあった。

デザートです、と差し出されたのは、10センチぐらいのミニ板チョコレート4種。実は、「それぞれ、なんのミルクを使っているでしょうかクイズ」で、4枚を食べ比べ、牛、山羊、水牛、羊のいずれかを当てるゲーム方式だったこともある。鉛筆と、回答を書き込む特注の紙まで用意されている徹底ぶり。しびれた。

2時間超えのランチを終えて、心もお腹もいっぱい。さあ店をあとにしようかというその時、

「Did you see a street vendor out on the sidewalk?（歩道に屋台があったでしょう?）」

と、出口のところでドアを開けてくれたスタッフが微笑み、

「店主のアブラハムとは友だちなんです。声をかけてみてください。なにかあるはずだから」

そう私たちに耳打ちをした。

なになに、どういうこと?

解せないまま外に出たら、たしかに歩道のところに、街角で見かける移動式の屋台(飲料水やスナックなどを売っている)が待っていた。

「Are you Abraham? (アブラハムさん?)」

言われたとおりに立ち寄って声をかけると、なんと手渡されたのは、イレヴン・マディソン・パーク印のアイスキャンディー。うれしい裏切りに、心ときめいた余韻を抱えながら、公園のベンチに座って、アイスをかじった。

ちょっと真似できそうもない独創性と、ニューヨークらしいエンタテインメントっぷり。恐るべし、イレヴン・マディソン・パーク。

しかもなんと、パンデミックにより長期間休業した後は、動物性食材を排したプラ

ントベースレストランとして生まれ変わるという、まさかの展開を見せて、ニューヨーカーたちを仰天させた。

従来的な3つ星レストランから、いとも軽やかに、あっさり脱却。肉も魚も卵も用いず、野菜果物、穀物やナッツ、豆や海藻だけで組み立てたコースを、連日繰り出すというのだから。Think outside the box の手本みたいな存在である。

Mister Softee
CONES
SHAKES' SUNDAES
Delicious Shakes
748 SOUTHERN BLVD
BRONX, NY 10455

才能を放っておかない街

ニューヨーク最古の公立公園と言われるボウリング・グリーンは、マンハッタンの金融街、石造りのどっしり荘厳な博物館やら、ぎらぎらしたガラス張りのビルやらに、ぐるっと取り囲まれ、存在している。円形の噴水を中心に、その見物席みたいなベンチが円を描くように配置され、さらにまわりを背の高いプラタナスの木々が囲み、頭上を覆うべく葉を揺らしている。

初夏、もう日差しが鋭い午前11時、公園のベンチに座ってひと息つくと、かすかに潮の香り。海はすぐそこ。そうだ、マンハッタンは島だったんだ。と、思い出す。

ボウリング・グリーンのすぐ脇で、アダムはフードカート（屋台）を営業していた。鉄板や調理台、収納棚なんかがパズルみたいに巧妙にはめ込まれている銀色のカート。側面には黒板が貼り付けられていて、本日のフードメニューが手書きされている。

友人を介して知り合ったアダムは、20代後半、彫りの深い顔立ちが凛々しい男性だ。

「毎日、朝の4時から仕込んでるんだよ」

熱い鉄板の上でせわしなく手を動かしながら、アダムが丸く成形してあるパン生地を指さす。綿棒で平たく伸ばしてから鉄板で焼きあげれば、イングリッシュマフィンの完成だ。

その自家製パンを使ったビーフバーガーや、ポークサンド、焼きナスとフムスのサンドイッチなんかが看板商品。昼の12時が迫るころには、それらを求めてビジネスマンたちが屋台の脇に列を作り始める。

同じく看板商品のひとつ、ファラフェル（ひよこ豆のコロッケ）のピタサンドを受け取って、私は公園のベンチに急ぎ、待ちきれずかぶりついた。

もっちり、粉の味が鼻の奥に広がるピタパンに、甘みや苦みがくっきり濃厚な紫キャベツやラディッシュ。ピーナッツ油で揚げられたファラフェルは軽く、雑味がない。

アダムが提供するフードは、いわゆる屋台で売られている安っぽいジャンクな味とは比べものにならない、別格だった。ヨーグルトソースの酸味と、にんにくをさらりときかせたフムスが、口のなかで具材を完璧につなぐ。ああ、おいしい。

「フレッシュであること。全部いちから作る。それが信条だからね」

屋台に戻って感想を伝えると、アダムは、くしゃっと笑った。

もしも、自分の仕事場の近くに彼の屋台があったなら、間違いなく毎週通うことになるな……。

アダムの生み出す料理にさっそく胃袋をわしづかみにされた私は、そう確信した。

きっと彼のビジネスパートナーも同じように、胃袋をつかまれたに違いない。

実は、アダムは以前、別の屋台で働いていたときに、お客さんの一人である投資銀行勤務のフランス人に声をかけられた。ぜひビジネスパートナーになりたい、と申し出たフランス人の彼が開業資金を用意して、アダムがメニューを開発。いまの屋台は、そうして始まったのである。

なんだそれ、ドラマじゃん！

初めて聞いたときは目を丸くしたけれど、ニューヨークではわりと耳にする類の話であることを、後から知った。

たとえば、毎週末にブルックリンで開催されている、フードイベントSmorgasburg《スモーガスバーグ》。

ニューヨークの食のクリエイターたちによって、アジア、南米、アフリカなど、さまざまなルーツをもつ創作料理や、アイデアを掛け合わせた実験的な味が披露される場だ。出店者のなかには、投資家や強力なパートナーに見出され、実店舗をオープンしたり、ブランドを拡大したりした人がいる。

才能が放っておかれない街。それがニューヨーク。

〝好き〟を貫き、クリエイションを続け、努力を惜しまずに磨いていれば、誰かがかならず見ていてくれて、ときには手が差し伸べられる。

マンハッタンのウエストヴィレッジにあるベーカリー、Mah-Ze-Dahr《マゼダ》の女性オーナーは、その最たるもの。

金融業界で働きながら、趣味のお菓子づくりを続けていたところ、ある日、たまたま顧客としてやってきた某有名シェフが、彼女の焼いたケーキを口にして、「こんなおいしいものを作れるなんて、いますぐビジネスを始めるべきだ!」と熱烈アドバイス。シェフのバックアップを得て、店を始めることになったという。作り話のような、シンデレラストーリーである。

好きをかたちにしたニューヨーカーの例は、ほかにもごろごろある。

自室に巨大な焙煎機を設置し、日夜コーヒー豆のローストに明け暮れていた、無類のコーヒー好きである男子ふたりが、数年後、ブルックリンに焙煎所兼カフェをオープンしたり。

ミュージシャンと建築家の夫婦が、友人のプレゼントに香水をハンドメイドしたのをきっかけに、香りを調合する趣味を極め、今ではマンハッタンに店舗を構えるまでになったり。

いまや全米からクラフトビールファンが馳せ参じる、ブルックリンの某ブルワリーは、オーナー夫妻が余暇に楽しんでいた、自宅キッチンでのマニアックなビール醸造がそもそもの始まりだというのは、知られた話だ。

そんなニューヨーカーたちに励まされて、私も自費出版の小さなガイドブック『BEST OF BROOKLYN』を発表した。2014年のことだった。

ブルックリンの街を縦横無尽に歩き、食べて、飲んで、買って、散財しまくり、発掘した珠玉の店を、本にまとめた。

iPhoneで撮影した写真に、日本語と英語の文章を添え、友人のデザイナーに装丁してもらった本は、日本の書店やショップだけではなく、ニューヨークの大手書店や、友人のインテリアショップでも販売してもらえることになった。

ある日、ウィリアムズバーグにあるデザインホテルのオーナーから「宿泊客にプレゼントしたいから、本を購入したい」と突然連絡をもらったこともある。

投資家に見出されて……なんていうドラマな展開にはならなかったけれど、あちこちからの予想外の反響が、すこぶるうれしかった。

本を作る前は、儲けになるのか、成功するのか、不安でくすぶっていたけれど、思い切ってやってみてよかった。「どこかの出版社が声をかけてくれないか」と受け身でいないで、自分から一歩を踏み出して正解だった。

行動を起こさなければ、誰の目にも止まらない。なにごとも、やってみなくちゃ、わからない。だから自分の〝好き〟に蓋をしないで生きていく。そして、くよくよ考え悩むぐらいだったら、行動にうつす。

そういう生き術を、私はニューヨークから教えてもらった気がしている。

先生はドラァグクイーン

ブルックリンに生息するいわゆるヒップスターから、インテリア雑誌に長年携わってきたベテラン編集者まで。私が通っていた英会話教室には、講師然とした人はまれで、どの先生のキャラもなかなかに際立っていた。大学の講師やヨガのインストラクターなど、副業が別にある人も多かったから、余計に人間味が濃かったのかもしれない。

ある日、私の授業を受け持った男性講師のサーシャは、なかでも群を抜いた個を放っていたひとりだ。

モヒカン刈りのヘアに、黒縁のメガネ、小柄な体を包む80年代っぽいサイケな柄物のシャツと細身のパンツはいずれも古着で、トレンドとは距離を置いた我流のスタイル。

たしか授業中の会話のなかで、「僕のボーイフレンドがね」とさらりと話していて、ああゲイなんだな、とわかった。

そんなサーシャが副業、というより本業として志していたものは、ドラァグクイーンだった。

女性の姿を模してメイクをし、ドレスで着飾って（あるいは女性が男性の姿を模す場合も）歌い、踊り、舞台上でパフォーマンスを繰り広げるというもの。ああ、それってゲイの人たちの自己表現のひとつだよね、ぐらいの認識だったけれど、あるときサーシャから、

「ドラァグは、歴史の古いもの。コスプレなんかじゃなくてね。性別をテーマにしたクリエイティブなアートなんだよ」

と知らされて、私の勝手な思い込みが一新された。

「You should come see my performance. You'll love it!（今度パフォーマンスを見に来て。きっと好きになるから）」

サーシャにそう誘われて、ブルックリンのブッシュウィックにあるバーや、マンハッタンのウエストヴィレッジにあるショーパブに足を運んだけれど、いまでも当時の映像がありありと浮かぶのは、運河を有するブルックリンはゴワナスの、廃墟みたいな古い建物で行われたパフォーマンスだった。

そこは元銀行だったか、元学校だったか、忘れてしまったけれど、天井がやたらと高

く、壁のコンクリートがみじめに朽ちた、がらんとした空間だった。

シンと冷え込む3月のある晩、コンクリートの地面からひっきりなしに冷気が襲ってくる会場では、さまざまなポップアップショップが並び、雑貨や食品を賑々しく販売していた。舞台らしい迫《せ》り上がった場所はなく、サーシャのパフォーマンスは、会場の一角で立見の客にぐるりと囲まれるようにして始まった。

口パクで歌って踊り、ときにはコミカルな仕草で笑わせる。タイのバンコクで見た覚えのあるショーかと思いきや、まったく違った。

お決まりの派手な羽飾りや、パステルカラーのチュールはなく、全身豹《ひょう》柄のレオタードにライダースジャケットという出立ちのサーシャが、情熱的に踊り、歌うのだ。中盤からは服を脱ぎ捨て、女性の下着姿になったサーシャが、真紅の照明にさらされながら、嘆き、おののき、怒り、客を挑発するように歌って踊り、女性を激情的に演じるのだった。

普段の穏やかな英語の先生からは想像しがたい、サーシャの姿を目の前にして、息を呑んだ。触れたことのないドラァグの世界と、全力のパフォーマンスに、どきりとした。たしかにそれは、コスプレと呼ばれるものではなく、アートそのものだった。

「たとえば、スポーツなら男性、ファッションなら女性。洋服、色、話しかた、趣味。あらゆるものが男性か女性に結びつけられてしまう。そういう考えかたに変化を与えたいんだ」

ドラァグをなぜやるのか。ある時サーシャと、パートナーのジョニーに取材をしたら、そんな答えが返ってきた。

「それぞれの人に、それぞれの性別がある。それを自由に表現できたらと思ってる」

隠さずに、偽らずに。Queer《クィア》（あらゆるセクシュアル・マイノリティを指す）な人々が生きることができたら。それが理想だと話す。

「でも現実はそうはいかない。〝女性か男性〟の2択しかない人たちがいるのは当然のこと。簡単ではないよね」

だからこそドラァグは、生まれた時に与えられた性別に縛られたくないと考える人たちにとって、重要な役割を果たす。サーシャのようなパフォーマーが、舞台上で自分の姿を異性へ転身させることで、社会的な性別に疑問を投げかけ、固定観念を揺るがそうと試みる。ドラァグにはそういう大義があるのだと教えてくれた。

観客をただ喜ばせ、笑わせ、楽しませるだけのエンターテインメントを、はるかに超えたもの。使命を持って挑むもの。そして、その影響力をもって、社会を変えていこうとするもの。それが、サーシャのドラァグなのだった。

数年して、英会話講師を辞めたサーシャは、絶大な人気を誇るテレビ番組『RuPaul's Drag Race（ル・ポールのドラァグ・レース）』に出場した。

〝アメリカの次のドラァグスターを探す〟という趣旨で、十数人のドラァグクイーンが参加し、毎週いろいろなお題に挑戦してゆく内容だ。最後に勝ち残ったひとりが、ドラァグスターの称号と、10万ドルの賞金を手にできる、いかにもアメリカらしいリアリティ番組である。

サーシャは、あれよあれよと勝ち進み、このままだと優勝しちゃうかもね、なんて友人たちの間で噂されていたら、なんとほんとうに、優勝してしまった。

決勝の舞台に立った彼女は、サーシャらしい型破りな衣装に、毒っけのあるスキンヘッド。口パクでホイットニー・ヒューストンを力強く歌いあげ、手の込んだ演出をいくつも仕掛けて、他のドラァグクイーンを圧倒した。

昼間は英会話を教え、夜はブルックリンの凍てつくフロアで、十数人の客を前にパフォーマンスを繰り広げていたあのサーシャが、大舞台で喝采を浴びている。その姿に胸が熱くならずにはいられなかったし、そんな彼女が、ただただ誇らしかった。

一躍有名人となったサーシャは、雑誌のカバーを飾り、インタビュー番組に出演し、アメリカ国内やヨーロッパ各地でパフォーマンスを披露しながら、世界中を飛び回っている。インスタグラムのフォロワー数は１８０万人。知名度を味方につけて、サーシャはいま、世の中を変えようとしている。

アメリカンドリームって、現実にあるんだな……。

私はサーシャの姿から、そう感じずにはいられなかった。

才能や、運や、人脈や、いろんな要素はさておき、心に使命を掲げ、情熱をまっすぐ傾けていれば、夢をたぐり寄せることができる。

そんなふうに、愚直に信じてみてもいいんじゃないか。自分にだって、なにかを成し遂げられるんじゃないか。ふつふつと私の内に湧いたのは、紛れもない勇気だった。

「ニューヨークという街には、あらゆる困難を抱えた人たちが集まってくる。なぜならここは、自分に正直に生きられる街だからね」

かつてサーシャが私に話してくれた言葉が、思い起こされる。

己に嘘をつかず、前を向いて生きていれば、いつか夢に近づく。ニューヨークには、サーシャのように、そう信じさせてくれる人たちがいる。希望を抱く人を励ます、朗らかで、でも勇ましい空気がこの街には満ちている。

ジョナの酸っぱい麺つゆ

マンハッタン最南部にある金融街にそびえ立つ、アール・デコ様式の高層ビルディング。そのラグジュアリーなコンド（マンション）上階の一室に、友人のジョナは住んでいた。

コンパクトなキッチンを有するリビング&ダイニングが主部屋で、白壁に設けられた長方形の窓の向こうには、青空と海、2色のブルーが織りなすグラデーションの絶景。眼下には、小さな水色の突起物みたいな自由の女神を拝むことができる。

「手前にエリス島が見えるでしょ？　だからこの部屋を選んだんだ」

自由の女神の手前に浮かぶ四角い島は、かつて船で来航した移民たちの入国審査が行われていた場所だ。ヨーロッパから渡ってきたジョナの祖先も、この島を通過して初めて、アメリカ本土への上陸を許されたのだという。

20代の若き成功者であるジョナ。コロンビア大学の学生だったころ、大学のドミトリー（寮）で、自ら腕をふるい、見知らぬ者同士が集う席でコース料理を供するディナークラブを立ち上げた。

彼の前例がない試みと、先鋭な新アメリカ料理はまたたく間に街の噂となり、メディアに取り上げられ、数千人の予約待ちができるほどに。料理を通してゲスト同士が交流したり、思いも寄らない食体験が味わえたりする。そんな〝ソーシャルダイニング〟は、高層階の自宅に場所を移し、開催が続けられていた。

ジョナとの出会いは、インスタグラムだった。

あるとき、「日本語を学びたい」と投稿していたジョナに、「料理に関する英語を教えてもらう代わりに、私があなたに日本語を教える。そういうexchange（交換）はどう？」とメッセージを送ったら、「いいね！　うちに来てよ」と、ジョナから返事があったのだ。

顔を知られた有名人なのに、ずいぶん軽やかに（というか、けっこう無防備に）人とつながるジョナにジェネレーションギャップを覚えつつ、金融街にある彼の自宅へ向かった。

4月のおわり、もう明日にでも夏が始まりそうな力強い日差しの午後。

ジョナの部屋に初めて足を踏み入れた私は、窓の外のまぶしい景色を横目に、ダイニングテーブルでそわそわと緊張しながら、すらりと背の高いシェフに対面した。

テーブルの上には、野花が素敵にいけられた白い陶製の花瓶と、ガラスのボトルに入れられた冷たいハーブティー。向かい合わせの席には、箸が一膳ずつ置かれている。

もしや、食事が出てくる……？

淡い期待を抱いたら、予感的中。なんとジョナが、昼食を用意してくれていると言う。まさかもてなしを受けられるなんて。予約の取れないシェフの手料理に胸を躍らせた。

「おまたせ。さあ、食べよう」

ジョナが目の前に差し出したのは、なんと〝蕎麦《そば》〟だった。

ハンバーガー、タコス、それともパスタ。箸だから、ロール寿司かも。そんな予想を裏切る、冷たい蕎麦。ゆでて、水でしめ、ざるに盛ってある。ねぎや海苔、ごまなどのトッピングもちゃんと別皿に用意されていて、銘々の白い小ぶりなボウルには、蕎麦つゆらしき液体が注がれている。

「いただきます」

私は、あえて日本語でそう言ってから、灰色の麺に手をのばした。つゆにそっと浸して、口に運ぶと、しょっぱくて、酸っぱい。

んん？　なんだこれは？

ポン酢みたいな味。またもや想定外。でも、食べ進めていくうちに、清涼感が喜ばしく感じられた。夏のような午後には、酸味がよく似合う。

初顔あわせにランチを用意するサプライズ、日本人の私にあえて蕎麦を提供する遊び心、そして掟破りな味わい。私はジョナがなぜ成功したのか。うっすらとだけれど、そのわけがわかった気がした。


ところで、別の日は、ジョナと抹茶を点てて一服しよう、となり（日本語と英語を教え合う当初の目的はどこへ……）、和菓子を手みやげに、ジョナの自宅を訪ねた。

持参したのは、初夏の花を連想させる若草色や薄紫色の生菓子2種。どちらも食べるのがもったいないほどの見た目だと、ジョナも絶賛したけれど、口にしたあとは無言だった。

「What does it taste like? Do you like it?（味はどう？　好み？）」

私がたずねると、

「Hmm... Sweet and smooth. It looks beautiful though....（うーん、甘くてなめらかだね。美しいんだけど……）」

と含みのある答え。ジョナが続けた。

「全部が甘いんだね。外と中の食感が似ていて、変化がない……」

ああ、そうですか。お口に合いませんでしたか。

おいしい、という素直な反応を待っていた私は、釈然としない気持ちで、生菓子をもぐもぐした。そのとき、あっ。と、ひらめいたのだ。

日本のおいしいは、調和や一体感。ニューヨークのおいしいは、その逆なのだと。

塩辛いけど、甘い。甘いのに、ぴりっと辛い。ふわふわしてて、ガリッとしてる。しっとり、でもパリパリしてる。ニューヨークで食べてきたあれこれは、対比があざやかなものが多い。

チリペッパー入りのはちみつをまわしかけた、甘辛しょっぱいチーズピザ。

カリカリに焼かれたベーコンが大胆にトッピングされている、メープルシロップ味のドーナツ。

トマトジュースにタバスコ、ウスターソースなどを混ぜたスパイシーで辛旨なカクテル、ブラッディマリー。

それにジョナの酸っぱい麺つゆも。

この街では、味や食感のコントラストがはっきりしている食べものが、好まれているのだ。まるでひとりひとりの人間に自己主張が求められ、強烈な個が尊重されるのと同じように。

そんなニューヨーカーの味覚の勘所を、はからずも発見できたことが、私はなんだか、うれしかった。この街に、また一歩近づけたような。この街と、より親密になれたような。

以来、ますますニューヨークの食のとりこになったのだった。

といっても、フライドチキンにシナモンバターを乗せたワッフルを添え、両方に甘いメープルシロップをたっぷりかけて食べるひと皿（アメリカ南部発祥の定番メニュー）だけは、どうしても好きになれずじまいだったけれど。

サイレントディスコ

友人のキャスリーンとネイサンのカップルから、夏のある日、妙な誘いを受けた。

「今夜、サイレントディスコするから、来ない？」

は？　なにそれ？

キャスリーンはPR会社に勤務するキャリア女子。ネイサンはフリーランスの文化系男子で、映像制作とDJの二足のわらじで活動していた。

ヒップなふたりは、ブルックリンのグリーンポイントに暮らしながら、毎週のようにピクニックやらDJイベントやら、楽しむことに事欠かないカップル。人生を全力で謳歌するってこういうことだよね。というロールモデルみたいな存在だ。

「グリーンポイントのフェリー乗り場あたりでやる予定。イヤホンかヘッドホンを忘れずにね！」

なにをするんだろう。とりあえず、行ってみるか。

仕事終わりの夫と待ち合わせて、詳細不明のまま指定の場所へ向かった。

地下鉄Gラインのグリーンポイント・アヴェニュー駅を降りて、イーストリバーの流れる西側へと、ぶらぶら歩く。

メキシコ料理店のわちゃわちゃと賑わうテラス席や、窓全開で音楽をがなりたてている満員のバーを通り過ぎるたびに、夏の夜ならではのそわそわした感覚が、鳥肌のように全身をかけめぐる。

生ぬるい風を頬や肩に感じるようになったら、もうそこは川沿いの公園だ。闇のなかを流れる漆黒のイーストリバーの向こう側に、マンハッタンがチカチカと、虚構の異世界みたいに煌びやかに瞬いている。

斜め前方に、フェリー乗り場の桟橋が見えてきた。目をこらすと十数人の人影が、街灯の下で、なにやらうごめいている。怪しい。そろそろと近づいてみれば、やはりキャスリーンたち一行なのだった。イヤホンやヘッドホンをした男女が、にやにやしながら、好き放題にステップを踏んでいる。

なにしてんの、この人たち……。

ぽかんとした顔で直立する私と夫に気づいたキャスリーンが、破顔して走り寄り、早口で説明した。

まず、Twitch《ツイッチ》というライブ配信アプリをiPhoneにダウンロードする。アプリを立ち上げ、ネイサンのチャンネルにアクセスすると、ネイサンがミックスしたトラックが流れる。それを各々がイヤホンで同時に聴きながら、踊る。

「That's it!（以上！）」

音を鳴らさない無音のディスコ。だから、サイレントディスコなのだと、キャスリーン。

さっそく私たちもイヤホンを装着し、曲に合わせてもくもくと足を動かし、腰を振った。たまに隣の人と笑いあったりもするけれど、基本はひとりで取り組むディスコ。新感覚。でもなんだろう、図書館で本を読むときのような没入感と、連帯感がある。

たまにイヤホンを外して、〝黙踊〟する人たちを眺めるのも、またいい。

「なにかのインスタレーション？」

通りすがりの人が、不思議そうに聞いていく。シュールだ。汗をかいた肌を夜風にさらしながら、静かに黙して踊って、次世代を味わった。そんな夜だった。

思い返せば、私のニューヨーク生活は、テクノロジーがもたらす変化の波がたえず押し寄せる、目まぐるしいものだった。

渡米してすぐのころは、街中で流しのイエローキャブをつかまえて、目的地に向かうのが日常だったし、タクシーがそれほど走っていないブルックリンでは、乗り合いのワゴンカーをつかまえて、見知らぬご近所さん数名としばし相乗りし、家の近くで止めてもらって下車するという、先進国とは思えない移動手段だった。

ところがそのうちに、ウーバーやLyft《リフト》などの配車サービスが華々しく登場して、タクシーに〝まったく〟乗らなくなった。

道をたいして知らないうえに、態度が悪かったり、ぼったくろうとする悪徳も少なくないイエローキャブと決別できて、外出時のストレスがぐんと減った。地下鉄やタクシーが走っていないブルックリンの奥地にも、ウーバーならすいっと出かけて、戻ってこられるから、行動範囲も、街の歩きかたも、ずいぶん変わった。

同じく渡米して間もない2013年ごろに、

「英語の字幕でいろんな映画が見放題。英語の勉強にもなるよ」

と、夫の同僚に教えてもらったのが、動画配信サービスのNetflix《ネットフリックス》だった。

その昔、ちらちらと時間があるときだけ見て、歯抜けになっていた、90年代のコメディドラマ『フレンズ』も、敬愛するフードジャーナリスト、アンソニー・ボーディンのテレビ番組も、ネットフリックスのおかげで全話コンプリート。ありがたや。

そのうえ、ひとつまたひとつとリリースされるオリジナルドラマは、ハリウッド映画を凌駕するクオリティで、度肝を抜かれた。ああ、もうこれはテレビの次の時代の到来だ！　と、興奮したのを覚えている。

ドーナツ一個、コーヒー一杯からクレジットカードで購入できる、ニューヨークのクレカ至上主義にも、次世代らしさを感じずにはいられなかった。

なにが衝撃だったかって、友だち数人とレストランで食事をし、お会計の際に、それぞれがクレジットカードを出して、「Split《スプリット》 it《イット》 even《イーヴン》」と伝えれば、割り勘できるというシステム。なんて合理的なの。

現金を持ち歩く必要がほとんどなくなり、クレジットカード、キャッシュカード、ショップカードにポイントカードで、ぶくぶくに膨らんでいた私の財布は、みるみる小型&薄型化し、終いには名刺入れ大のカードケースに取って代わられた。最後の2〜3年は、小銭を持ち歩くことすらなくなっていた。

「友だちへの誕生日プレゼント代、立て替えたから、ひとり20ドルお願い」というときや、個人のピラティストレーナーからマンツーマンで指導を受けて、レッスン代を支払うとき。クレジットカードが使えない個人的な支払いは、それまで現金で行っていたけれど、Venmo《ヴェンモ》と呼ばれる送金アプリで、一発解消されるようにもなった。

アプリに自分の銀行口座を紐づけておけば、スマートフォンでテキストを送るぐらいのカジュアルさで、友人知人にいとも簡単に送金ができてしまう。夫のヘアサロンでも、お客さんからのチップは、ヘアスタイリストが各自、ヴェンモを通じて直接受け取っていた。

こうなると近い将来、世の中から財布が姿を消すな……。

長財布を知らない10代が、まもなく出現する予感がした。

それなに？　なんかわからないけど、でも、やってみちゃおう。

ニューヨークでの9年間は、まわりの空気に後押しされつつ、そんな能天気っぷりで、時代の潮流に（毎度やや遅ればせながらも）乗っかる日々だったなあと思う。煩わしさよりも、むしろテクノロジーによって不便が取り除かれ、暮らしがよりスムーズに、豊かになるのを実感していた。私自身がアップデートされてゆくさまを、どこか楽しんでもいた。

だからたぶん、これからも、新しいことには、飛びついたほうがいい。そうすれば生活がふくらむ。そんな心構えでいられるのは、ニューヨークのおかげかな。と、勝手に感謝している。

APARTMENTS
FOR RENT
TACOS
ARE
FOR
LOVERS
Subway

第6章

「だれの、どんな色も、美しい」

なぜヴィーガンなの？

人生で初めて出会った、ヴィーガン（動物性食品を口にしない主義の人。加えて動物性製品を身につけない主義の人もいる）は、ジェシーだった。

英会話教室の講師で、ドレッドヘア、古着のシャツにデニムとスニーカーという出立ちのジェシーは、それほど歳が離れていない同世代。本来の職業はフォトグラファーだった。東京や福岡に住んでいたことがあって話も合う。いまは仲の良い友だちのひとりだ。

あれはたしか、はじめましてから2〜3回目の授業中のこと。食べものの話になり、ジェシーが、

「I'm vegan.（僕はヴィーガンなんだ）」

と明かした。

それまで雑誌の取材を通して、マクロビオティックやベジタリアンの人に出会ったことはあったけれど、ヴィーガンの人は皆無。だからがぜん興味が湧いて、ジェシーを質問攻めにしてしまった。

「You don't eat eggs either?（卵も食べないの？）」

「Nope.（食べない）」

「え、あ、そうか。じゃあ、No fish? No butter? No cheese?（魚もバターもチーズも食べない？）」

「None of them.（食べない）」

だったら、いったいなにを食べるんだ……？

雑食の私はつぶやいた。ジェシーが答える。

「野菜、果物、豆、豆腐。いまはアイスクリームだってヴィーガンがあるしね」

別に不便でもなんでもないだろう？　といったふうだ。

そう言われても、私にはいまいち想像できなかった。肉もバターもダメな食生活なんて。人生の楽しみが半減しちゃう。だいたいヴィーガンのアイスって、おいしいのだろうか？　肉が恋しくならないの？　頭のなかに、ぐるぐる疑問符が巡る。

「なんでヴィーガンなの?」

いちばん気になった質問をジェシーにぶつけると、

「生きものの殺傷に加担したくないから」

ジェシーが即答した。あまりにも迷いなくスパッと答えたので、私は質問をやめた。


その後のニューヨーク生活のなかで、ヴィーガンはどんどん身近になっていった(ちなみに今はヴィーガンではなく、plant-based《プラントベース》と呼ぶのが一般的)。

友人知人に、結構な割合で存在することが判明。7〜8人にひとりはいた気がする。

「ねえ、知ってる? 豚ってすごく賢い生きものなの。とても口にすることはできない」

そんなふうに菜食主義の訳を教えてくれたのは、猫の取材で知り合った飼い主の女性だ。

「学校で、肉食に関するビデオを見たの」

ブルックリンで友人宅のホームパーティに参加していた10歳の女の子は、自身がヴィーガンの理由をそう語った。

肉の大量消費が、地球温暖化や森林破壊に多大なインパクトを与えると知ったらしい。

横にいた母親はヴィーガンではないけれど、娘の決断を尊重していると話していた。私が子どものころだったら「そんなこと言わずに、なんでも食べなさい」と一喝されて終わりだろう。

レストランのメニューに目をやれば、ヴィーガンを意味するVの文字や植物のマークが目に飛び込んでくるし、ヴィーガンメキシカンやヴィーガンベーカリーといった新店のオープンも相次いでいた。街中のスーパーではヴィーガンアイスも、ヴィーガンバターやヴィーガンチーズも普通に売られている。

なかでも私のヴィーガン観をがらりと変えたのは、By Chloe.《バイ・クロイ》というヴィーガンファストフード店だった。

噂を聞きつけ、向かった店舗は、マンハッタンのウェストヴィレッジ、ニューヨーク大学の界隈にあった。街路樹が連なる緑豊かなストリートの一角、重厚なレンガの建物の1階に構える店は、黒と白のモダンなストライプ柄のテントが目を引いた。

モノトーンの店内に、ピンクや紫のネオンサイン。メニュー板にはポップなフォントの文字が踊る。原宿や青山あたりにあるカフェみたい。禅を連想させるストイックなヴィーガンはそこにはなかった。

学生街だけに店内は若者だらけ。レジ横のショーケースには、魅惑的なカップケーキやチョコチップクッキーが陳列されていて、フードメニューには、ハンバーガーにミートボールサンドイッチ、マカロニ&チーズなどがラインナップされている。

これ、ほんとにヴィーガンなの?

騙されたような気持ちになったけれど、もちろん正真正銘、どの食べものも植物由来の食材で作られていた。

バーガーのパテは、テンペ、レンズ豆、チアシード、クルミなどから、ミートボールはきのこと野菜から作られていて、食感も味も申し分ないおいしさだった。

特に気に入ったのは、〝スパイシータイ〟と呼ばれるサラダボウル。

ピリ辛のテンペ、キヌア、枝豆、ネギなどがピーナッツドレッシングで和えてあり、パリパリとした食感の揚げたワンタン皮が添えられていた。酸味や甘味など味の緩急も抜かりなく、肉ナシでもしっかりした食べ応え。逆に、肉を食べなければならない理由が見当たらないほどだった。

口のなかに広がるタイ風味のあれこれを咀嚼しながら、思いにふける。

私は、なぜ肉を食べるのだろう?

理由は……、とくにない。おいしいから、習慣だから、好きだから。以上。

食いしん坊の私は、肉も魚も、ただ貪欲に食らってきたけれど、そこにはなんの主義もない。そのことに、はたと気がついて、心がざわっとした。

まわりのニューヨーカーは、ヴィーガンだったり、ペスカタリアン(魚を食べる菜食主義者)だったりして、それぞれ、ジェシーのように一家言ある人ばかり。なにをどう食べるか、だけではない。なにを着るか。なにを仕事にするかもそう。自分なりの主義をしっかり持っている。

ヴィーガンがいいとか悪いとか、賛成とか反対とかの前にまず、食べることにすら主義主張のあるニューヨーカーたちが、私の目にはまぶしく、成熟した大人に映った。

私もこれからは、少なくとも「あなたは、なぜ?」と人に聞かれたら、自分の言葉で答えられる準備だけはしておこう。そう心に決めて、店をあとにした。

ユゥトウ

イラストレーターのピーターは、スコットランド出身で、90年代からニューヨークに暮らしている。イーストヴィレッジにある自宅アパートメントを、取材で訪ねたのをきっかけに親しくなった。

「夕食を食べにおいでよ」

ある晩、誘いを受け、夫とともに、いそいそと出かけていった。ピーターが手料理をふるまってくれるという。

「うちのアパートメントはキャットタワーみたいだから」

ピーターがそうたとえる自宅は、玄関を入ってすぐ横がバス&トイレ、その向かいにコンパクトなキッチン、階段を数段登ったところにリビングルームがある。そこから数段登った上に寝室、さらに数段登った先が最上階のベランダという、ジグザグのフロア構成は、まさに巨大な猫の城。

ニューヨークでは、後にも先にも出合ったことがない、そんな風変わりなアパートに、ピーターと妻のエイミー、猫2匹が暮らしていた。


キャットタワーアパートの各部屋には、アートやオブジェ、写真なんかがところ狭しと飾られている。

たとえば、リビングの壁には20センチ角の絵が、等間隔で10数点かけられていて、どれも同じ水色の背景に、似たような茶色い丸い物体が描かれている。どこかアンディ・ウォーホルを彷彿とさせる作品群。聞けば
「いろんなじゃがいもを描いてみたんだよ」

と、ピーター。

反対側の棚には、ニューヨークのデリで愛用されている紙製のコーヒーカップが、新旧大小ずらりと並んでいる。ギリシャの国旗と同じ青と白の配色で、それっぽい文様が描かれていることから、ギリシャカップと呼ばれる紙コップを、ピーターは長い間、蒐集しているらしい。

「なかなか貴重なカップもあってね、1996年のアトランタオリンピックの年には……」

ピーターが熱心に説明してくれたけれど、内容は忘れてしまった。

ほかにも、日本料理店で食べた餅アイスを再現した自作の彫刻、海で拾った不気味なカブトガニの甲羅、ピーターがロシアでお土産に購入したTバックのショーツは額装され、寝室の壁にかけられていた。

珍奇なものであふれるそこは、博物館やアートギャラリーさながら。好奇心を大いにくすぐられる場所だ。

さて、その日のディナーは、シェパーズパイだった。

炒めた牛ひき肉の上に、マッシュポテトをのせ、オーブンで焼いたイギリスの家庭料理。香ばしくかりかりに焼かれたマッシュポテトにざくっとスプーンを差し込み、肉汁でしっとり潤うひき肉と一緒にすくって、皿に取り分け食べる。

炒めた玉ねぎ、牛ひき肉、ほっくりしたじゃがいも。どこかで食べた味。そうだ、ポテトコロッケだ。ひき肉とじゃがいものコンビは、万国共通の美味なのだなあ。

などと、うなりながら皿に向かっていると、

「いいかい、子どものころからマッシュポテトの四隅は争奪戦なんだ。いちばんクリスピーでおいしいところだから。でも今日は4人だからケンカしないですみそうだね！」

ピーターが無邪気に話している。

シェパーズパイは、家庭によってレシピも味わいもさまざま。ピーターはお母さんから教わった作りかたをもとに、隠し味をあれこれ仕込んで自己流を編み出しているらしい。

「今夜は、わさびを隠し味に入れてみたんだ」

まさかのピーターのアレンジに
「ワ、ワサビィ!?」

夫と私が、思わずマヌケな甲高い声を出す。

イギリスの家庭料理に日本のわさびは、どうにも不釣り合いな気がするけれど、ピーターにとってわさびは、マスタードとかチリソースとか、そういう辛い調味料のひとつという位置づけらしかった（ちなみにシェパーズパイから、わさびの風味はまったく感じられなかった）。

食後はソファに座りながら、ウィスキーを飲みつつ談笑タイム。ピーターがとっておきの音楽CDを聴かせてくれるという。

「もう20年以上も聴いてるんだ」

自慢の音楽が、いざスピーカーから流れ出したとき、私も夫も、ぽかんとしてしまった。

「ああ〜さり〜、え〜、あ〜さり〜〜」

部屋に響き渡ったのは、あさりを売る行商の声。ピーターが笑顔で振り返り、私たちにたずねる。

「What is he actually singing?（彼はいったい、なんて歌ってるんだい？）」

なにって……

「Um.., it sounds like..., he's selling clams on the street?（えっと、路上であさりを売ってるんじゃないかな）」

やや困惑しながら答えると、

「Ah!」

ピーターは愉快そうに笑う。

続いて、ドンドコ、チンチロ、太鼓や鐘が賑やかに奏でる、あの懐かしい音色、ちんどん屋。それから、バナナの叩き売りの声に、物悲しい寺の鐘の音、歌舞伎の舞台から響く三味線と、観客の話し声。

ピーターが聴かせてくれたのは、１９３０年代の東京の街の音を収録したＣＤだった。

「なにを言ってるかは、もちろんわからないんだけどね。聴いているうちに親しみがわくし、癒されるんだよ。もういまは存在しない時代の音が聞けるなんて、ぞくぞくしない？」

だいぶウィスキーがまわったところで、ピーターがだしぬけにたずねる。

「ところでアヤ、ユゥトウってわかる？」

ユゥトウ……？　You トウ？　You toe?　え、なんのことだ。さっぱりわからない。

「ソバレストランで、最後に出てくるやつだよ」

「ああ、蕎麦湯？」

「イエス、ソバユが入ってるティーポットみたいなやつ」

すぐに手元のiPhoneで調べたら、湯桶《ゆとう》。蕎麦湯を入れるための、赤や黒のアレである。初めて名前を知った。

「ずっと欲しくてね、探していたんだけど、やっと最近見つけて。もうすぐ家に届くんだ」

相当うれしそうである。どれだけ蕎麦が好きなんだ、と思ったら、そうではなく、ピーターが着目しているのは、湯桶の形なのだった。

「大きな四角いボディから、注ぎ口とハンドルがそれぞれ違う場所から飛び出てる。とってもユニークだよ。キュビズムの画家がティーポットを描いたら、あんな感じになるんじゃないかな。ユゥトウってさ、まるでピカソが描いたティーポットみたいだと思わない？」

ピーターの視点は、私にとって規格外のメガネだ。

そのレンズは、私にはない角度や距離から、ものごとを見せてくれる。わさびも、あさり売りも、湯桶も。違う視点で眺めれば、ありようや価値が当然変わってくることを、教えてくれた。

そういえば、日本のドラマ『Midnight Diner（深夜食堂）』も、ピーターによって得られた新発見のひとつ。
それまで「エンターテインメントはアメリカに限る」と盲信して、日本の映画やドラマを敬遠していた私だけれど、『深夜食堂』を一気見してから改心した。自分のなかの思い込みが、ゆるめられ、ほぐされていく。ピーターの視点は、私にそんな変化も、もたらしたのだった。

後日、ピーターのアパートメントにまた遊びに行くと、ようやく手に入れた、つやつやの黒い湯桶がリビングに飾ってあった。それは、もはや蕎麦湯入れではなかった。ひとつのアートオブジェとして、堂々と、すてきに、そこに存在していた。

インテリアは、生きかた

〃私はこういう嗜好です〃

ニューヨーカーたちの服装や髪型からは、その力強い表明が、びしびし伝わってくる。

インテリアも同じく。取材にかこつけて、さまざまな年代や職業の人の自宅を訪ねたけれど、各々に〃らしさ〃がかならずあって、感性を揺さぶられっぱなしだった。

壁の色から、カウチの形から、ときにはカーテンの素材から、人となりが透けて見える。インテリアは、食べて寝るためのしつらえではなく、自分自身を表現する、ひとつの手段なのだ。

たとえば、麻の布や糸で静謐《せいひつ》な作品を制作するアーティストのニコールが暮らす一軒家は、床、壁、カーテン、クッションから食器まで、すべてが作品さながらの

muted colors《ミューティド・カラーズ》（グレーやベージュなどの落ち着いた色調）で完璧にそろえられていた。

反対に、色あざやかなペーパーフラワーを手づくりしているアーティスト、リヴィアの部屋は、イエロー、グリーン、ブルー、オレンジなどのいきいきした色柄であふれかえり、花束のようなインテリアだった。

あるミュージシャンのリビングルームでは、大きなバスドラムがコーヒーテーブルの代わりに使われていたり。ライターとアートキュレーターで、どちらも読書家という夫妻のリビングは、本がびっしり詰まったＤＩＹの本棚が主役だったり。どのインテリアも、そこで暮らす主人を雄弁に物語っていた。

あるとき夕食に招かれたソーホーの一軒家は、インテリアショップのカタログみたいに完成された空間だった。

厚みのあるチーク材のダイニングテーブルに、アルネ・ヤコブセンのセブンチェアがずらり。本棚の横には、ハンス・Ｊ・ウェグナーのベアチェアが鎮座し、真珠貝の殻がしゃらしゃらとぶら下がる高価なフロアランプが、部屋の一角を照らしていた。デザイナーズ家具で飾られた、隙のない部屋。リッチな気分にはなるけれど、でもなんだろう、どこかのホテルやレストランにいるのと似ている。

主である夫妻に聞けば、

「インテリアスタイリストを雇って、すべておまかせした」

とのこと。なるほどね。それもまたニューヨーカーならではの自己表現のひとつなのだと納得した。


インテリアの、アハ体験(大きな気づき)が得られたのは、ブルックリン在住のアーティスト、アメリーを取材したときだった。

自身のドローイングをプリントしたバッグやポーチなどを制作するアメリーは、インスタグラムにたびたび投稿する自宅やスタジオのインテリア写真でも支持を集めていた。

当時、彼女が暮らしていたリビングルームは、ネイビーのダークトーンで統一され、アクセントにグリーンの布製カウチと、床にはミックスカラーのキリムラグ。四方を囲む壁には、彫刻的なシルエットの陶器や、非凡なオーラを放つ古物などが飾られていた。ものが多いのに雑然とせず、不思議とまとまりがある。しかもどんな角度から見ても、アメリーの部屋だとひと目でわかる。

その理由を問えば、

「時を経てきた古いもの、長く愛用できるつくりのいいもの。そういうものだけをインテリアに採用するようにしているから」

との答え。一貫したポリシーがあるのだ。

だから、たとえ人からギフトでもらったものでも、「好みじゃなければ、無理に部屋に置かない。1週間ぐらい楽しんだら、寄付するようにしているわ」

ときっぱり。さすが、容赦ない。

私は、我が家にある好みじゃないあれこれを思い浮かべ、もじもじした。

そもそもアメリーみたいに、インテリアにポリシーがない。「こういうものが好き」と、はっきり説明できる言葉も見当たらなかった。

そんな私に、アメリーはこうアドバイスしてくれた。

「ものをたくさん見ること。すると次第に自分の好きが、絞り込まれてくるから」

それは別にピンタレストでも構わない、とアメリーは続ける。

「明るい色なのか、控えめな色なのか。木製のナチュラルなものなのか、モダンなデザインなのか。好きなものがわかってくる。時間をかけてね。一晩でわかるものじゃないから。自分の好きがわかってきたら、好きじゃないものを外していく。好きじゃないものは買わないようにするの。トレンドだから買わなくちゃ、と思わされる買い物もあるけれど、好きじゃないんだったら必要ない。潔く。私はそうしてきたわ」

これ、ものの部分を、仕事、友人、彼氏彼女に置き換えてみると、まるで人生そのものである。

そうか、インテリアとは、つまり生きかたなのだな。

アメリーの助言から、私は悟った。

となると、何色を好み、どんなスタイルを愛し、どういう素材に心が和らぐのか。その答えがふわついている私は、生きかたを見失っている迷子なのかもしれない。それは、まずい。

そこから、私の旅がはじまった。

インテリアをできるだけたくさん、この目におさめ、自分の好きをとことん掘る旅。はたして、好みの色は、グレー、ネイビー、グリーン。形は断然、球体がよくて、素材はスチールや鉄などの、かたくて、冷たくて、ごついもの。愛すべきは、古いもの。数年かけてようやく、だいぶ絞り込めてきたところだ。

自分のなかの男と女

「ヘイ、アヤ。自分のなかの男性と女性って、どういう比率？　何パーセントと、何パーセント？」

お酒が入って、ほろ酔いのスティーブが、不可思議な質問を投げてきた。

クラフトビールの聖地とも称される、ブルックリンのGrimm《グリム》ブルワリー。グレープフルーツのような香りが口のなかで弾けたあと、旨みを伴う苦味があとから追いかけてくるIPA（インディア・ペールエール）を、グラスでグビグビやりながら、ネオンライトに照らされたバーテーブルを囲んでいた。

女性と男性？　え、なんの話？

私がモゴモゴしていると、

「僕はね、そうだな、男性70、女性30かな」

自分のパーセンテージを披露してくる。いや、聞いてないですけど。

スティーブいわく、私たちには生まれもった身体的な性別のほかに、masculinity《マスキュリニティ》（男性性。男性的な部分）と、femininity《フェミニニティ》（女性性。女性的な部分）という心理的なふたつが混在している。

そういう前提での質問らしかった。

答えがなかなか出ない私にしびれをきらしたスティーブは、横に座っている妻のアンジェリークにも、同じ問いをぶつけるのだった。

「ヘイ、アンジー。君はどう？」

友人のスティーブとアンジェリークは、カナダ出身の夫婦で、マンハッタンのダウンタウンでショップを営んでいる。Nalata Nalata《ナラタ・ナラタ》という、ちょっと変わった名前の店で（スティーブの姉妹のあだ名をつなげたものらしい）、大量生産品ではない、手仕事による少量生産の生活用品を主にセレクトして扱っている。

出会いは、友人のデザイナーが、ナラタ・ナラタでのグループ展に参加すると聞いて、オープニングパーティに出かけていったときだった。

ごった返す店内で、客をもてなす30代のオーナー二人は、どちらもアジア系のためか親近感があった。スティーブはおおらかで人懐っこく、一歩引いたアンジェリークはクールで控えめ。犬と猫みたいな二人の組み合わせが、かわいらしくもあり、好感がもてた。

その縁をきっかけに、彼らとは少しずつ親しくなって、結婚式に招かれたり、たびたび食事をしたり、バーに飲みに行ったり。いつしか彼らの仕事を手伝うようにもなった。日本の工芸作家さんと二人の間に入って、作品の注文をしたり、個展の段取りをつけたりするのが私の役目だ。日本で一緒に作家さんの工房を訪ねたこともある。

スティーブは、酔うと決まって質問魔になった。

以前、日本の作家さんと夕食を囲んだときも、「好きな映画、ベストワンはなに?」「好物の料理、トップスリーは?」「画家は誰が一番?」など、矢継ぎ早に質問して、相手をたじたじにさせた。

それでも「Wow!」とか「Oh My God!」とか、ニューヨーカー特有の派手なリアクションで会話を盛り立て、宴はいつだって(言葉の壁があろうとも)大盛況になるのだ。

やるな、スティーブ。

それからというもの、私も会話に困る席では、質問攻めの秘技を繰り出すことにしている。

さて、冒頭の質問だけれど、

「そうだなあ、女性性が75パーセント、男性性が25パーセントかな」

私は感覚に従って答えた。

「Interesting!（興味深いね！）」

スティーブが、ほほう、という顔をする。

「この質問を日本人の友人知人に何回かしたんだけどね、みんな答えに困るんだよ。そんなに答えづらい質問かな？」

スティーブは続けてそう言った。

そりゃそうだろうね。と内心、スティーブから急に質問を投げられた日本人たちに同情した。

私の知るかぎり、2010年代の日本では、まだまだ性の多様性への理解は低く、情報も十分ではなかった。ゲイやトランスジェンダーの存在は理解していても、どこか別世界の人たちという感覚があった。身体的に男性なら心も男性。身体的に女性なら心も女性。それが根強い認識だったと思う。

もちろん、男っぽい、女らしいという表現で、性格や態度を言い表すことはあったけれど、スティーブの質問が意味するところは違った。身体的な性別から離れて、自分の性自認を自身に問うようなものだ。そんなの試みたこともない人が、圧倒的に多いはず。私もかつてはそうだった。

セクシュアリティに自然と向き合うようになったのは、ニューヨークで生活を始めて、しばらくしてからのこと。

ゲイやバイセクシャル、トランスジェンダーなど、多様なセクシュアリティの友人知人が、身のまわりにあたりまえにいて、彼らは決して異色な存在ではない。そういうなかで暮らしていると、

女に生まれ、女として生きてきたけれど、自分に偽りはない？

恋愛対象は男だけれど、ほんとにそう？

ノンバイナリー（性自認が男女の性別にあてはまらない人）と私は、どう違うんだろう？

そうやって自問したり、考えたりする機会が増えた。ニューヨークに来るまではなかったことだ。

同時に、性別という概念が、どんどんあやふやになっていった。身体的な性別は別として、心理的な男と女は同じ地平でつながり、地続きで、そこに境界線はなく、往来は自由。立ち位置は人それぞれ。そんな感覚だ。もはや人間を、黒と白みたいにぱっきり男女に分けるのは、無理がある気がする。

ビールを飲んで、ぼよよんとゆるんだ頭に、かつてインタビューした漫画家の言葉が虹のように浮かんだ。

〝性別は、グラデーション〟

だれの、どんな色も、美しい。まちがった色も、醜い色も、この世にひとつとして存在しないのだ。

マートル・アヴェニュー駅の階段で

これは、とんでもないことに気づいてしまったぞ。

ある夏の夕方、自宅の最寄駅であるブルックリンのマートル・アヴェニュー駅に帰り着いた私は、いつもどおり高架にある改札を出て、ねちねちとして生ゴミ臭い階段を慎重に降りながら、喧騒の路上へと向かっていた。

肌にまとわりつく湿気がだるい。ぼーっと頭のなかで、とりとめもないあれこれを思案しながら、前方にある横断歩道の信号が赤になったのをうつすら確認した、そのとき、冒頭の〝気づき〟が突如、脳内に響きわたったのだった。

とんでもないこと。とは、私がなんのために今の仕事をしているのか、なぜ文章を書いているのか。理由がまったくわからないこと、であった。毎日ただ忙殺されている事実を、蒸し暑い夏の日に、はっきり自覚してしまったのである。

きっかけは、シェフのエヴァンだった。

エヴァンとは料理雑誌の取材で知り合った。フロリダ出身で、背が私より遥かに高い、若き料理人。人あたりがやわらかく、爽やかという形容詞がこれほどしっくりくる人はたぶんいない、そんな好青年だ。

読書家で、かつてはライターを目指していたけれど、飲食店でのアルバイトをきっかけに料理の道へ進んだ。卵料理やパンケーキ、グリッツ（とうもろこしのお粥）など、アメリカ南部の素朴な朝食を一日中ふるまうウィリアムズバーグのレストラン、Egg《エッグ》でシェフを務めていた。

何度か取材をさせてもらううちに距離が縮まり、仲良くなった。我が家のホームパーティへ招いたり、エヴァンが企画した本の朗読イベントへ参加したりした。

レストランの支店が日本にあるため、東京や大阪をたびたび訪れていたエヴァンは、日本の食や食材にも造形が深く、食いしん坊の私と話が合った。

「今年は、アプリコットで梅干しを漬けてみたんだ」

「味噌を仕込んだから、お互いの味噌を交換しない？」

なんて、日本人よりも丁寧な食生活を実践していて、驚く。

パンデミックの直前、エヴァンがラーメンのポップアップをするというので出かけていったこともある。

アメリカ南部のカントリーハムと日本の昆布で出汁をとったスープは、肉特有の骨太な旨みと、昆布のまったり優しい滋味が溶け合って、カドのない、でもこっくり深さのある絶品だった。これはエヴァンにしか作れない味だなあ、と感動しながら、一滴も残さないよう大切にスープをすすった。


「エヴァンの考える、レストランってなに?」

あるとき、雑誌の取材でたずねたところ、

「コミュニティを養って、豊かにする存在。レストランはそうあるべきだと思う」

と、エヴァンは答えた。

「おいしい店、であることはもちろん、あたりまえだよね。持続可能で、優しさがあって、従業員や顧客やコミュニティの生活の質を向上させることに、前向きであること。その土地や地域や環境に対しても、同じようにね」

それは、シェフとしてのエヴァンが志している道でもあった。おいしい料理を届ける、とか、最上のおもてなしをする、とか、そういう凡庸な目標ではなく、もっと踏み込んだ、彼なりのミッション（使命）が存在するのだ。

さすがエヴァン、思慮深い立派なシェフだ。さらっと、そう受け止めたけれど、彼の言葉は、いつまでも私のなかに居座っていた。魚の骨みたいに引っかかっていた。

じゃあ私は、どうなのよ？

そんな自問自答が始まったのは、そこからである。

ライターのあるべき姿ってなんだろう？　目的や使命はなに？　なんのために文章を書いている？

答えが思いのほか、するっと出てこない自分に焦った。

今よりも上手に文章を書けるようになりたい。たくさんの人の目に届く、名のある媒体で仕事がしたい。人に読まれる記事を担当したい。山ほど売れる著書を出したい。

頭に浮かぶのは、なんだかエゴな目標ばかり。「おいしい店、であることはもちろん、あたりまえだよね」というエヴァンの言葉を思い出す。耳が痛い。

私は、その先にあるべき使命を、完全に見失っていた。うう、ダメ人間め。マートル・アヴェニュー駅の階段を降りながら、自分の空虚さを痛烈に思い知ったわけである。

それからずっと、使命というワードが、私を追い回していた。

混雑した地下鉄に揺られながら、ぼーっ。薄暗い駅のホームで、いつまでたっても来ない列車を待ちながら、ぼーっ。ブライアント・パークのベンチに座って、芝生を眺めながら、ぼーっ。ことあるごとに惚けては、使命は？　なんのために文章を？　と問い続けていた。

数ヶ月経った、冬のある夕暮れ。その日も自宅の最寄駅、地下鉄マートル・アヴェニュー駅の、ねちねちした臭い階段を降りていた。ヒールがあるブーツで、段を踏み外さないよう注意深く足を運んでいた、そのとき、

あ、わかった！

こんどは突然、答えがびゅん！　と脳内を横切った。

言葉が逃げる前に、捕まえなくては。階段を降り切ったところで立ち止まって、興奮冷めやらぬまま、指先を走らせて iPhone にメモを残す。

――多様性。いろんな生きかたを見せること。

そうか、そうだ。私の使命はこれだ。

世紀の大発見をしたぐらいの昂《たかぶ》った気分で、信号が青に変わった横断歩道を、軽快に渡った。

ははん、これが覚醒というものなのかも。

心のどこかでえらく冷静に受け止めながら、愛猫が待つ家へと急いだ。

ニューヨークの街と人には、なにかしらの作用がある。

世界中の人を、この街が魅了してやまない理由は、たぶんそれじゃないかと、私はうすうす感じている。あるいは、マートル・アヴェニュー駅の汚い階段が、秘密の装置かなにかなのかもしれないけれど。

そういうわけで私はいま、ニューヨークで見出したその使命を胸に、こうして日々、文章を綴っている。

傘をさすのは自由

3月下旬、まだ気温は低く、風もひやっと冷たいけれど、日差しはもう初夏のよう。ぎらっと、まぶしい。そんなある日のニューヨークの街は、極端な服装の人々であふれている。

肌が透けるほど薄い生地のワンピース、しかもノースリーブという、夏を待ちきれないギャル（寒くないの……？）。白Tシャツに短パンの、真夏仕様の青年（気持ちはわかるけども……）。もこもこに着膨れて、雪山にいるみたいな完全防寒のおじさん（逆に、もう暑くない？）。ロング丈のダウンコート、なぜか素足にビーチサンダルのマダム（寒いの、暑いの、どっち……？）。

ファッションの役割も、季節のとらえかたも、人によりけりだから、本人が快適ならば、もちろんそれでいいのだけれど。でも私だったら「ちょっとまだ夏服は浮いちゃうよな」って考えてやめるだろうし、もしどうしても季節外れのビーチサンダルが履きたくなっても「ダウンにビーサンって、さすがに変だよね」って断念するはず。

社会の異分子にならないよう、他者の目を先読みして、自制する。日本人ならではなのか、そういう傾向が強い人間なのか（たぶんその両方）、とにかく私は、奔放なニューヨーカーたちの装いに、「うそでしょ?」と目を疑い、驚き、うろたえるばかりだった。「これが個人主義なのか!」と震えたりもした。

私がどうしたいか。

ニューヨーカーが判断する基準は、圧倒的にいつも〝私〟にあるのだ。

人がどう思うか、という他者の視線は眼中にないし、まわりの空気を読んだり、他人と同調したりする気も、さらさらない（と思う）。

現地の企業で働いたことがないので、ビジネスの場でも同じなのかはわからないけれど。私が目撃したり、接したりした日常生活のなかのニューヨーカーは、おおむねそうだった。

だからたとえば、露出具合にも遠慮がない。

ぴたっと下半身に張り付く密着素材のレギンスを履いて、お尻や股部分のシルエットをあらわにしている女子たちを地下鉄で見かけたときは、ひどく動揺した。

なにか間違っているんじゃないだろうか。上にスカートを履くのを忘れたとか？　羽織るつもりだったオーバーサイズのシャツを家に忘れてきたとか？

しばらくして、それがニューヨーク女子のごくありふれた着こなしだと知った。レギンスの尻は、ワンピースやスカートの下に隠すものではないらしい。

汗がしたたる真夏、胸元や脇が、ばっくり開いたゆるめのトップスで（もちろんノーブラ）、おっぱいの先の粒だけが、かろうじて隠れている女性と街でたびたびすれ違ったときも、動揺を隠せなかった。

エロすぎない？　そう感じる私こそエロいのか？　人の目が気になって恥ずかしい感覚はないのだろうか。

公衆の面前でどこまで体を晒すか。そのジャッジに、他者がいないのだ。または、真逆の確信犯か。いずれにしても、あるのは〝私〟だけ。強い。

羞恥心に温度差がある、といえば、トイレの音もそう。

低音から高音まで、軽いのから重いのまで、ニューヨークのトイレには、用を足すサウンドがいつも朗らかに響いている。

当然ながら個室内に、音姫なんていう慎み深いツールは備わっていない。私は遠慮がちにちょろちょろと、静粛に用を足しながら考える。あれ、でも、この音が他人に聞こえると、どんな不都合があるのだろう？

雨が降ったら、傘をさす。

そんなあたりまえの、もはや世界標準のルールみたいな習慣も、ニューヨークでは〝私〟が決めることになっている。

小雨ならフードや帽子をかぶってしのぐ。ぐらいは、まあわかるとして、どしゃ降りでもいっこうに傘をささず、ずぶ濡れになりながら、急ぐふうでもなく悠然と街を歩いているニューヨーカーがある一定数いて、目が釘付けになった。

傘を忘れたのだろうか。傘をわざわざ買ってさすのが面倒なのだろうか。それとも雨がシャワー代わりなのだろうか。びっくりして二度見してしまう私のほうが、おかしいのだろうか。

赤信号でも、平気で横断する。

これもニューヨークならでは。たとえ赤でも、車が来ていなければ、〝私〟の判断で横断してよい、という市民ルールが浸透している（警察に注意されているニューヨーカーを目撃したことがないので、もはや交通違反ですらないのかもしれない）。

律儀に赤信号で停止して、からっぽの横断歩道の前でぼーっと待っていたら、ニューヨーカーが私を一瞥し、スタスタと横を通り過ぎて行った。10年前の、あのうぶな自分が懐かしい。


聞きたくもない音楽を、聞かされる。

俺様の好きなヒップホップ、お前らも耳の穴かっぽじって聞けよな。と、本人は思っているかわからないけれど、ニューヨークの地下鉄の中では、音漏れどころじゃない爆音で音楽をかけているお騒がせ野郎に、たびたび遭遇する。

陽気なラテン音楽もあれば、わかりやすくレディ・ガガだったりする場合もあって、100回に1回ぐらいは「その曲、いいね」って賛同できるかもしれないけれど、正直、別に聞きたくないし、騒々しくて迷惑。〝私〟を貫きたい他人を受け入れるって、なかなか容易ではないのだなあ。

ニューヨークでは、すべて自分次第だ。

ぴちぴちのレギンスを履いて街へ出かけ、トイレで豪快に音漏れさせて用を足し、傘をささずに雨にずぶ濡れになりながら、赤信号の道路を平然と横断したければ、すればいい。誰にも咎められないし、変な目で見られることもない。

そんな環境に慣れると、〝私〟に全権がある状況が、じわじわ快適になってゆく。〝私〟がむくむくと台頭し、自分のなかから他者目線が薄れてゆく。あれほど気になっていた人の目が、どうでもよくなって、楽になる。足並みを他者と揃える空気感から解放されて、生きやすくなる。

ニューヨークは自由の街と言われるけれど、その自由とは、きっとこのことだな、とある日、実感するのだ。

おわりに

「ああ、もうこのままニューヨークに、死ぬまで暮らしたいな」

からりと晴れた初秋のある日、イーストリバーを航行するフェリーの2階席に座っていたときのこと。思いもよらない心の声が、聞こえてきた。というか、唐突に込み上げた。

そのとき私は、ブルックリンのウィリアムズバーグから、南に下ったダンボへ向かう船上で、バタバタバタバタと耳元でうるさい向かい風に顔をさらしながら、おでこを全開にして、視界いっぱいに広がる空と川のブルーに向かって突き進んでいた。

遠く前方には、マンハッタンブリッジとブルックリンブリッジ、ふたつの芸術的な吊橋。他の乗客たちは橋と共に写真におさまろうと、揺れる船上で自撮りに必死だ。

え、死ぬまで暮らしたい？

ずいぶん、おおげさなんですけど。

自分で自分が意外だった。

なぜって、この街に一生住む気なんて、それまで、さらさらなかったから。そもそも海外志向ゼロ。ジャパン万歳。旅先はもっぱらタイのバンコクやフランスのパリ（いつだって食い意地優先）。アメリカのニューヨークに、さして興味もなく、美容師の夫にただ付いてきたようなものだった。

いざニューヨーク生活を始めても、辛くて悔しくて、泣きそうになることばかり。早口の英語で、なにをしゃべってるのか皆目わからない。お役所系や郵便局は、呆れるほどの塩対応。Ｗｉ－Ｆｉ工事の人は、こちらの話も聞かず、汚ったない土足でずかずか部屋に上がり込んでくる。

届くはずの荷物が、たびたび届かない。暖房がつかない。温水が出ない。キッチンで魚を焼いただけで煙感知機が鳴り響く。

風邪をひいて病院へ行けば、２００ドル（約2万円）も請求される。高額な保険料を毎月払っているというのに、なぜなの。

日本とは勝手の違うあれこれに振りまわされ続けた。日々の楽しみや喜びで、それらが相殺されるようになるまで、しばらくかかった。

でも、1年、2年、3年……と生活が続き、この本で記したような体験を重ねるうちに、じわじわ、ニューヨークのことが好きになっていったのだ。

ああ、それは慣れと適応。どんな街でも住めば都説ね。

そう片付けられるのは、ちょっと不本意である。なぜなら、けっこう能動的な〝好き〟だから。

なんでだろう。どうしたっていうんだろう。

好きの理由を紐解いてみたい気持ちもあって、エッセイを綴った。

いざ文章に書き起こしてみると、ニューヨークへの慕情が、うざいほどあふれ出てしまって、びっくりしている。

ニューヨークのなにが、そんなに好きなのか。

たぶん、そのいちばんは、〝自由〟だ。

約9年、多様なニューヨーカーたちに囲まれ、生活するなかで、私が得たものは、自由だった。

別にこれまで不自由ばかり感じていたわけではないし、生きづらくて仕方なかったわけでもないけれど、なんとなく子どものころから私を縛っていたアレが、この街で解かれた。精神がもっとのびのびして、ずっと人生が自在になった。

真正な私、なのか、新生な私なのか、わからないけれど、とにかくニューヨークで、私は私を獲得したのだ。

「なんか、どんどん自由になってるよね」

あるとき日本へ一時帰国した際に、私をよく知る日本の悪友から、そう言われたことからも、それはきっと事実である。

2021年春、夫と私と愛猫は、日本に帰国した。

ビザのこと、年齢のこと、家族のこと。そしてコロナ。さまざまな要因から、結局ニューヨークで一生暮らすことは叶わなかった。

せっかく9年も住んでいたのにもったいない。と憐れむ人もいたけれど、私はちっともそんなふうに感じてはいない。ニューヨークで広めた見聞や視野、この街で得た悟りや使命は、ぜんぶ私のなかに、しっかり蓄積されているのだから。

たとえどこへ行こうが、どんな街を拠点にしようが、これからも私は、心のニューヨークと、ずっと暮らすことができる。
とか強がって言っておきながら、夏の地下鉄のすえた臭いや、どの客も声を張り上げてしゃべるレストランの喧騒や、デリのレジ係が叫ぶ「Next!（次の人！）」の声や、安っぽい柔軟剤の香りがおまけで付いてくるランドリーの洗濯物や、マイナス20度の真冬に脇汗をかくほどの室内暖房の熱気や、そういう些細な、どこか憎めない、生々しいニューヨークが、正直なところ、とっても恋しくてしかたなかったりもする。

I LOVE NEW YORK.

２０２２年5月、京都にて。

仁平 綾　にへい あや

エッセイスト。編集・ライターとして東京で活動後、ニューヨークに移住。約9年暮らした後、2021年より京都に在住。食べることと、猫をもふもふすることが至上の喜び。著書に、ブルックリンの私的ガイドブック『BEST OF BROOKLYN vol.01-03』、『ニューヨークの看板ネコ』（エクスナレッジ）、『ニューヨークおいしいものだけ！ 朝・昼・夜 食べ歩きガイド』（筑摩書房）、『ニューヨークでしたい100のこと』（自由国民社）、共著に『テリーヌブック』（パイインターナショナル）、『ニューヨークレシピブック』（誠文堂新光社）など。

本作品は当文庫のための書き下ろしです。

読んで旅する
よんたび

ニューヨーク、雨《あめ》でも傘《かさ》をさすのは私《わたし》の自由《じゆう》

著者　仁平《にへい》 綾《あや》

2022年7月15日　第1刷発行
2023年4月5日　第2刷発行

発行者　佐藤 靖
発行所　大和《だいわ》書房
東京都文京区関口1-33-4
電話 03-3203-4511
フォーマットデザイン　吉村 亮（Yoshi-des.）
本文デザイン　藤田康平（Barber）
本文写真　仁平 綾
翻訳協力　Be Fluent NYC
本文印刷　厚徳社
カバー印刷　山一印刷
製本　小泉製本

ISBN978-4-479-32021-0
乱丁本・落丁本はお取り替えいたします
http://www.daiwashobo.co.jp